GLI ADELPHI

376

Fra il 1931 e il 1972 Georges Simenon (Liegi 1903-Losanna 1989) ha pubblicato 75 romanzi e 28 racconti dedicati alle inchieste di Maigret.
In una *Dictée* del gennaio 1974 Simenon non nasconde la sua soddisfazione per essere riuscito a infilare in un'intervista alla radio svizzera una frase «che ad alcuni non sfuggirà»: «Quando mi hanno chiesto se il mio ideale di donna sia la signora Maigret, ho risposto prontamente di sì». Del resto, già in *Maigret a Vichy*, che è di alcuni anni prima (scritto nel 1967, appare a stampa l'anno seguente), la signora Maigret ha un ruolo di primo piano, e la sua è una presenza rasserenante e teneramente ironica. Ma c'è di più: proprio l'immagine della coppia formata dal commissario e da sua moglie è una delle chiavi che consentirà la messa a fuoco della personalità dell'assassino.
Presso Adelphi sono in corso di pubblicazione tutte le opere di Simenon.

Georges Simenon

Maigret a Vichy

TRADUZIONE DI UGO CUNDARI

ADELPHI EDIZIONI

TITOLO ORIGINALE:
Maigret à Vichy

Le inchieste del commissario Maigret
escono a cura di Ena Marchi e Giorgio Pinotti

WWW.ADELPHI.IT

ISBN 978-88-459-2519-1

Anno				Edizione								
2019	2018	2017	2016	4	5	6	7	8	9	10	11	12

MAIGRET A VICHY

1

«Li conosci?» domandò a voce bassa la signora Maigret vedendo il marito voltarsi a guardare la coppia che avevano appena incrociato.

Anche l'uomo si era voltato, e aveva sorriso. Anzi, per un attimo era parso addirittura tentato di tornare sui propri passi e stringere la mano al commissario.

«No... Non credo... Non lo so...».

Il tizio in questione era piccolo e grassoccio, e la moglie bassa e piuttosto in carne anche lei. Chissà perché, Maigret aveva l'impressione che la donna fosse belga... Forse per via della carnagione chiara, dei capelli quasi gialli, degli occhi azzurri e sporgenti...

Era almeno la quinta volta che si incontravano. La prima l'uomo si era fermato e si era illuminato in volto, come colpito da un improvviso moto di giubilo. Poi aveva aperto la bocca, quasi stesse per dire qualcosa, mentre il commissario aggrottava la fronte sforzandosi invano di ricordare.

Quel volto, quella figura avevano un che di familiare. Ma chi diavolo poteva essere? Dove li aveva già visti, quell'ometto ilare e sua moglie, simili a pupazzetti di marzapane colorati?

«Davvero non saprei...».

Non importava. D'altra parte, lì le persone non erano le stesse che nella vita normale. Da un momento all'altro si sarebbe udita prorompere la musica. Nel chiosco dalle colonnine esili, sovraccarico di fronzoli e addobbi, i suonatori in uniforme – lo sguardo fisso sul direttore d'orchestra – erano pronti a portare alla bocca gli ottoni. Era la banda dei pompieri? O quella dei dipendenti del comune? Carichi di distintivi e dorature com'erano, con i galloni rosso sangue e i cinturoni bianchi, ricordavano dei generali sudamericani.

Attorno al chiosco, disposte in cerchi via via sempre più ampi, c'erano delle sedie di ferro gialle – pareva ce ne fossero centinaia, anzi migliaia –, quasi tutte occupate da uomini e donne che aspettavano in rispettoso silenzio.

Entro un paio di minuti, alle nove in punto, sotto i grandi alberi del parco avrebbe avuto inizio il concerto. La giornata era stata afosa, ma la serata si annunciava fresca, e la brezza faceva stormire lievemente il fogliame verde scuro, che qua e là, a chiazze, in corrispondenza delle file di lampioni dai globi lattei, assumeva una colorazione più chiara.

«Non vuoi sederti?».

C'era ancora qualche sedia libera, ma loro non si sedevano. Camminavano con calma. Non erano i soli ad andare avanti e indietro così, senza meta, ascoltando la musica con orecchio distratto: c'erano altre coppie, ma anche uomini e donne soli, tutti ben oltre la mezza età.

L'atmosfera aveva un che di irreale. Il casinò era illuminato, bianco e sovraccarico di modanature stile Novecento. In certi momenti si poteva credere che il tempo si fosse fermato, finché da rue Georges-Clemenceau non arrivava il rumore di un colpo di clacson.

«Eccola lì...» bisbigliò la signora Maigret facendo cenno con il mento.

Era diventato un gioco. Aveva preso l'abitudine di seguire lo sguardo del marito, e si accorgeva subito se c'era qualcosa che suscitava in lui sorpresa o interesse.

Che altro avevano da fare? Passeggiavano con aria svagata. Di tanto in tanto si fermavano, non perché fossero stanchi, ma per guardare un albero, una casa, un effetto di luce o un volto.

Avrebbero giurato di trovarsi a Vichy da un'eternità, e invece era appena il quinto giorno. Avevano già stabilito i loro orari, ai quali si attenevano scrupolosamente, come se si trattasse di una questione di vitale importanza, e le giornate erano scandite da un certo numero di riti che osservavano con la massima serietà.

Maigret era davvero così serio? A volte la moglie se lo chiedeva, e gli lanciava occhiate furtive. Lui non era lo stesso che a Parigi. La sua andatura era meno rigida, il volto meno tirato. Ostentava per lo più un sorriso vago, che esprimeva soddisfazione, certo, ma anche una specie di amara ironia.

«Ha il solito scialle bianco...».

Percorrendo ogni giorno, alla stessa ora, i vialetti del parco e quelli lungo le rive dell'Allier, i grandi viali bordati di platani, le strade affollate o deserte, avevano individuato un certo numero di volti e di figure che facevano già parte del loro universo.

Del resto, tutti quelli che erano lì compivano gli stessi atti alle stesse ore della giornata, e non solo quando si trovavano alle fonti termali per quei benedetti bicchieri d'acqua.

Lo sguardo di Maigret, messo a fuoco qualcuno tra la folla, diventava più acuto. E quello della moglie lo seguiva.

«Secondo te è vedova?».

Avrebbero potuto chiamarla la signora in lilla, perché indossava sempre qualcosa di lilla. Quella sera probabilmente era arrivata in ritardo e aveva trovato posto solo nelle ultime file.

Il giorno prima quella stessa signora aveva offerto uno spettacolo insieme singolare e commovente. Alle otto, quando mancava un'ora al concerto, i Maigret erano passati dalle parti del chiosco. Le seggioline gialle, sistemate in cerchi talmente regolari che parevano tracciati con il compasso, erano tutte libere tranne una, in prima fila, occupata dalla signora in lilla.

La donna non leggeva alla luce del più vicino lampione, né lavorava a maglia. Non faceva niente, non dava segni di impazienza; se ne stava semplicemente seduta, impettita e immobile, a guardare dritto davanti a sé con aria distinta e le mani posate in grembo.

Pareva uscita da un libro illustrato. Portava un cappello bianco, mentre la maggior parte delle donne, lì, andava in giro a capo scoperto. Anche lo scialle che le copriva le spalle era bianco, vaporoso, mentre l'abito era lilla, il colore che sembrava piacerle tanto.

Aveva un viso lungo e affilato, e labbra sottili.

«Sarà una zitella, non credi?».

Maigret evitava di pronunciarsi. Non investigava, non seguiva nessuna pista. Non si sentiva affatto tenuto a osservare le persone, né a sforzarsi di scoprire la loro verità.

E se lo faceva, ogni tanto, ciò accadeva suo malgrado, perché in lui era come un riflesso condizionato. Gli capitava di interessarsi senza motivo a un tizio che passeggiava, e di provare a indovinarne la professione, la condizione familiare, il genere di vita al di fuori di quel periodo di cure a Vichy.

Non era facile. Tutti, dopo qualche giorno o qualche ora, si inserivano alla perfezione in quel piccolo mondo... E tutti, nello sguardo, finivano per esprimere la stessa serenità un po' vacua; facevano eccezione i malati gravi, riconoscibili dalle loro deformità, dall'andatura, ma soprattutto da quel miscuglio di angoscia e speranza che si leggeva loro negli occhi.

Per Maigret la signora in lilla apparteneva a quella che si sarebbe potuta chiamare la cerchia degli intimi, di coloro che aveva notato fin dal primo momento e che lo incuriosivano.

Difficile darle un'età. Poteva avere quarantacinque anni come cinquantacinque, perché su di lei il tempo non aveva lasciato tracce evidenti.

Si intuiva che era abituata al silenzio, come le suore, e alla solitudine, anzi, che la solitudine le piacesse. Sia che camminasse o che stesse seduta come in quel momento, non degnava di attenzione né i passanti né chi le stava vicino, e probabilmente si sarebbe stupita nell'apprendere che il commissario Maigret stava tentando – per pura curiosità, non per dovere professionale – di venire a capo della sua personalità.

«Credo che non abbia mai vissuto con un uomo...» disse il commissario nel momento in cui la musica attaccava roboante nel chiosco.

Né con dei bambini. Forse con una persona molto anziana e bisognosa di cure, per esempio una vecchia madre...

In tal caso, la signora doveva essere una cattiva infermiera, perché di certo non sembrava dotata di dolcezza né di comunicativa. Il suo sguardo non si soffermava mai su nessuno, scivolando da una persona all'altra con indifferenza, semplicemente perché era rivolto verso l'interno. L'unica che reputava degna di attenzione era se stessa, e ciò probabilmente le procurava una segreta soddisfazione.

«Facciamo il giro?».

Non erano là per ascoltare la musica. Trovarsi in quel momento dalle parti del chiosco, dove del resto non c'era tutte le sere un concerto, rientrava semplicemente fra le loro abitudini.

A volte capitava persino che quella zona del parco fosse quasi deserta. Loro la attraversavano, giravano a destra e poi si inoltravano nel viale coperto che fiancheggiava una strada piena di insegne luminose. C'erano alberghi, ristoranti, negozi e un cinema. Al cinema non erano ancora andati. Era un passatempo che non aveva trovato posto nella loro tabella di marcia.

Il signore e la signora Maigret non erano i soli a fare quel giro a passo lento, e anche in senso inverso c'era gente che passeggiava. Ogni tanto si intravedeva uno smoking, o un abito da sera di qualcuno che, in ritardo per lo spettacolo del casinò, tagliava per il campo da tennis.

Altrove, nei più disparati quartieri di Parigi, nelle cittadine di provincia o a Bruxelles, Amsterdam, Roma o Philadelphia, quelle stesse persone conducevano esistenze assai diverse tra loro.

Appartenevano a determinati ambienti con le loro regole, i loro tabù, le loro parole d'ordine. Alcune erano ricche, altre povere. Ce n'erano di molto malate, che con quelle cure riuscivano solo a tirare avanti un po' più a lungo, e altre che con quelle cure potevano permettersi di non preoccuparsi più di tanto durante il resto dell'anno.

Lì invece erano tutti uguali. Per Maigret, la cosa

era cominciata nella maniera più banale, una sera che erano a cena dai Pardon. La padrona di casa aveva preparato l'anatra al sangue, un piatto che le riusciva a meraviglia e di cui il commissario era ghiotto.

«Non è buona?» si era preoccupata la signora Pardon vedendo che Maigret ne assaggiava solo qualche boccone.

Di colpo anche il dottor Pardon aveva preso a guardare il suo ospite con aria più seria.

«Si sente male?».

«Un po'... Non è niente...».

Ma all'occhio del medico non erano sfuggiti l'improvviso pallore dell'amico e le goccioline di sudore che gli imperlavano la fronte.

La cena era proseguita senza che si desse troppo peso alla faccenda, benché il commissario avesse a malapena toccato il suo bicchiere di vino. Quando, con il caffè, gli avevano offerto anche un armagnac d'annata, Maigret aveva teso la mano:

«Stasera no... Chiedo scusa...».

Solo più tardi Pardon aveva mormorato:

«Che ne dice se passiamo un attimo nel mio studio?».

Maigret l'aveva seguito a malincuore. Sapeva da un pezzo che quel momento prima o poi sarebbe arrivato, ma l'aveva proiettato in un futuro piuttosto remoto. Lo studio del medico non era né grande né lussuoso. Sulla scrivania c'erano lo stetoscopio, dei flaconi, dei tubetti di pomata e delle pratiche amministrative, e il lettino sul quale si stendevano i malati sembrava aver conservato l'impronta profonda dell'ultimo paziente.

«Cos'è che non va, Maigret?».

«Non lo so. Sarà l'età...».

«Cinquantadue?».

«Cinquantatré. Ultimamente ho avuto un sacco di lavoro e qualche rogna... Nessuna inchiesta sensazionale... Niente di appassionante, tutt'altro... Tanto per cominciare, è in corso una riorganizzazione di tutta la Polizia giudiziaria, il che significa montagne di scartoffie... E poi, questa epidemia di aggressioni nei confronti di ragazze e donne sole, con o senza violenza sessuale... La stampa ne fa un gran parlare e io non ho abbastanza agenti per organizzare le pattuglie senza scombussolare tutti i reparti...».

«Digerisce male?».

«Qualche volta... Mi capita, come stasera, di avere lo stomaco chiuso, dei dolori, o piuttosto degli spasmi al petto e all'addome... Mi sento pesante, senza forze...».

«Le spiace se la visito?».

Nella stanza accanto, sua moglie e la signora Pardon dovevano aver intuito cosa stesse succedendo, e la cosa imbarazzava Maigret, il quale aborriva qualsiasi cosa avesse a che fare anche lontanamente con la malattia.

Mentre si toglieva la cravatta, la giacca, la camicia e la canottiera, gli era tornata in mente una sua teoria giovanile.

«Io non ho alcuna intenzione di stare al mondo a forza di pillole, intrugli, diete, o in condizione di seminfermità» pensava allora. «Meglio morire da giovane che vivere in uno "stato di malattia"».

Per «stato di malattia» Maigret intendeva quella fase della vita in cui si tengono costantemente sotto controllo il cuore, lo stomaco, il fegato e i reni e, a intervalli più o meno regolari, ci si denuda al cospetto di un medico.

Adesso non aveva più voglia di morire da giovane, ma continuava a non accettare la condizione di malato.

«Anche i pantaloni?».
«Li abbassi solo un po'...».
Pardon gli misurò la pressione, lo auscultò, gli tastò lo stomaco e la pancia affondando le dita in determinati punti.
«Sente male?».
«No... Forse un po' di fastidio... No, più in basso...».
Ecco che era diventato come tutti quanti, ansioso, vergognoso dei propri timori e incapace di riuscire a guardare in faccia l'amico. Si rivestì goffamente. Pardon non aveva cambiato tono di voce.
«Da quanto tempo non si prende una vacanza?».
«Dall'anno scorso. Sono riuscito a scappare per una settimana, poi mi hanno fatto ritornare perché...».
«E l'anno prima?».
«Sono rimasto a Parigi...».
«Con la vita che fa, il suo stato di salute dovrebbe essere cinque volte più preoccupante di quanto non sia».
«Il fegato?».
«Ha resistito valorosamente al ritmo di lavoro che gli ha imposto... Certo, è un po' ingrossato, ma non troppo, e ha conservato la sua elasticità...».
«Cos'è che non va?».
«Niente di preciso... Un po' tutto... Lei è stanco, questo è quanto, e non basterà una settimana di vacanza a rimetterla in forze... Come si sente appena sveglio?».
«Di malumore...».
Pardon si mise a ridere.
«Dorme bene?».
«Mia moglie dice che mi agito e che mi capita di parlare nel sonno...».
«Non fuma più?».

«Cerco di fumare di meno...».
«Perché?».
«Non lo so... Cerco anche di bere di meno...».
«Si sieda...».
Si sedette anche Pardon, il quale, dietro la scrivania, somigliava molto di più a un medico che non in sala da pranzo o in salotto.
«Mi ascolti bene... Lei non è malato, anzi, gode di una salute eccezionale, tenendo conto della sua età e dell'attività che svolge... Se lo metta bene in testa una volta per tutte... La finisca di dare peso a qualche crampetto ogni tanto, a dolorini di poco conto, e, per carità, non prenda l'abitudine di salire le scale con cautela...».
«Come fa a saperlo?...».
«E lei, quando interroga un sospetto, come fa a sapere certe cose?...».
Sorrisero entrambi.
«Siamo a fine giugno. Qui a Parigi il clima è torrido. Lei partirà per una bella vacanza, possibilmente senza lasciare recapiti, in ogni caso evitando di telefonare ogni giorno al Quai des Orfèvres...».
«Si può fare» borbottò Maigret. «La nostra casetta di Meung-sur-Loire...».
«Avrà tempo di godersela quando andrà in pensione... Per quest'anno ho altri progetti per lei... Conosce Vichy?...».
«Non ci ho mai messo piede, anche se sono nato a meno di cinquanta chilometri da lì, vicino a Moulins... A quei tempi, nessuno possedeva un'automobile...».
«A proposito, sua moglie ha preso la patente?».
«Abbiamo anche comprato una quattro cavalli...».
«Credo che un periodo di cura a Vichy sia l'ideale per lei... Una bella ripulita all'organismo...».

Gli scappò da ridere vedendo l'espressione del commissario.

«Una... cura?».

«Qualche bicchiere d'acqua al giorno... Non penso che lo specialista le infliggerà i bagni di fango o quelli gassosi, la meccanoterapia e tutto il resto... Lei non è un caso grave... Tre settimane di vita regolare, senza preoccupazioni...».

«Senza birra, senza vino, senza piatti prelibati, senza...».

«Quanti anni sono che se la gode?».

«Ho fatto il mio...» ammise Maigret.

«E continuerà a farlo, anche se stavolta in maniera un po' più misurata... Siamo d'accordo?...».

Maigret, alzandosi, si meravigliò di sentirsi dire, proprio come un qualsiasi paziente di Pardon:

«Siamo d'accordo».

«Quando?».

«Tra qualche giorno, una settimana al massimo, il tempo di sistemare le cose...».

«È mio dovere indirizzarla a un collega del posto per la prescrizione del tipo di cura più adatto... Ne conosco più di uno... Vediamo... Rian è un medico giovane, che non si dà arie... Eccole il suo indirizzo e numero di telefono... Io stesso gli scriverò domani per informarlo...».

«Grazie, Pardon...».

«Non le ho fatto troppo male, vero?...».

«Ha la mano delicata...».

Una volta in salotto, il commissario aveva rivolto alla moglie un sorriso rassicurante, e per tutto il resto della serata dai Pardon l'argomento malattia non era stato più toccato.

Solo in rue Popincourt, mentre camminavano a braccetto, Maigret aveva buttato lì, come se si trattasse di una cosa senza importanza:

«Queste vacanze le passeremo a Vichy...».
«Farai la cura?».
«Visto che ci sono!...» aveva risposto lui in tono ironico. «Non che io sia malato, anzi, pare proprio che la mia sia una salute di ferro. È per questo che mi mandano a bere quell'acqua...».

Ma la faccenda aveva avuto inizio ancor prima di quella serata dai Pardon. Già da qualche tempo, infatti, Maigret aveva la strana impressione che tutti fossero più giovani di lui, dal questore ai giudici istruttori, dai sospetti che interrogava per finire, più di recente, a quel dottor Rian, biondo e affabile, neanche quarantenne.

Un ragazzo, insomma, al massimo un giovanotto, eppure già serioso e sicuro di sé, che sarebbe diventato in un certo senso l'arbitro del suo destino.

Più ci pensava e più provava rabbia e fastidio allo stesso tempo, perché lui non si sentiva affatto vecchio, né tanto meno prossimo all'invecchiamento.

Nonostante la giovane età, il dottor Rian viveva in una signorile palazzina di mattoni rosa in boulevard des États-Unis. E se lo stile dell'esterno ricordava vagamente il Novecento, l'interno, con le scale di marmo, i tappeti, i mobili tirati a lucido, la cameriera con la cuffietta ricamata all'inglese, era altrettanto sfarzoso.

«Immagino che non abbia più i genitori... Di che cosa è morto suo padre?».

Il medico prese ad annotare le risposte a questa e alle altre domande su una apposita scheda, minuziosamente, con una scrittura regolare da sergente maggiore.

«Sua madre?... Ha fratelli?... Sorelle?... Malattie infantili?... Rosolia?... Scarlattina?...».

La scarlattina no, ma la rosolia sì, da piccolissimo, quando la madre era ancora viva. Anzi, era il ricordo più vivido e affettuoso che avrebbe serbato di lei, perché sarebbe morta di lì a poco.

«Quali sport ha praticato?... Nessun incidente?... Soffre spesso di faringiti?... Fuma molto, vero?...».

Il giovane dottore sorrideva, malizioso, tanto per dimostrare a Maigret che lo conosceva di fama.

«Non si può certo dire che lei faccia vita sedentaria...».

«Dipende dal periodo. Mi capita, magari per tre o quattro settimane, di starmene tutto il giorno in ufficio e poi, di colpo, di non rimetterci più piede per diversi giorni...».

«Pasti regolari?».

«No...».

«Non segue alcuna dieta...».

Adesso gli toccava pure confessare che gli piacevano i manicaretti, i brasati, le salse aromatiche e speziate!

«Non solo buongustaio, ma buona forchetta, eh?».

«Abbastanza, sì...».

«E il vino? Mezzo litro, un litro al giorno?...».

«Sì... No... Di più... A tavola, di solito, ne bevo due o tre bicchieri... In ufficio, a volte, mi faccio portare un bicchiere di birra dalla vicina brasserie...».

«Aperitivi?».

«Spesso, con l'uno o l'altro dei miei collaboratori...».

Alla Brasserie Dauphine. Non era per vizio, ma per l'atmosfera, quello stare gomito a gomito con i colleghi, l'odore di cucina, di anice, di calvados di cui ormai erano impregnate le pareti. Perché a un tratto se ne vergognava, in presenza di quel giovanotto così ben curato e in quella casa così elegante?

«Insomma, eccessi per modo di dire...».

Maigret non voleva nascondere niente.

«Dipende da cosa intende per eccessi. La sera, non disdegno un paio di bicchierini di liquore di prugne che mia cognata ci manda dall'Alsazia... Spesso, quando seguo un'inchiesta, sono costretto a passare molto tempo nei caffè o nei bar... È difficile da spiegare... Se per esempio comincio una di queste inchieste bevendo vouvray, perché mi trovo in un locale dove è questa la specialità, mi viene naturale continuare a berlo...».

«Quanti al giorno?».

Quella situazione gli faceva tornare in mente l'infanzia, il confessionale del paesino che odorava di legno vecchio e ammuffito, e il curato che fiutava tabacco.

«Molti?».

«Lei direbbe di sicuro che sono molti...».

«E per quanto tempo?».

«A volte tre giorni, a volte otto, dieci, anche di più. Non c'è una regola...».

Rian non gliene faceva una colpa, non gli dava rosari da recitare, ma Maigret sapeva bene quello che il medico biondo, illuminato da un raggio di sole e chino sulla sua bella scrivania in mogano, stava pensando di lui.

«Grosse indigestioni? Acidità di stomaco, vertigini?...».

Vertigini, per l'appunto. Niente di grave. Gli capitava, soprattutto da qualche settimana, di sentirsi come se intorno tutto gli girasse, come se ogni cosa avesse perso la presa con la realtà quotidiana. Lui stesso ondeggiava incerto sulle gambe.

Non che se ne preoccupasse più di tanto, ma era

comunque una sensazione fastidiosa. Per fortuna durava solo pochi minuti. Una volta gli era capitato mentre stava per attraversare boulevard du Palais, e aveva dovuto aspettare prima di avventurarsi sulla carreggiata.

«Capisco... Capisco...».

Cosa c'era da capire? Che era malato? Che beveva e fumava troppo? Che era arrivato il momento, vista l'età, di mettersi a dieta?

Maigret non era abbattuto. Sorrideva, con quel sorriso che la moglie gli vedeva da quando erano a Vichy. Aveva l'aria di chi non si prende troppo sul serio, anche se si sentiva un po' malinconico.

«Si accomodi di là...».

Trattamento completo, stavolta! Maigret dovette salire e scendere in tre minuti i gradini di una scala, misurare la pressione arteriosa da sdraiato, da seduto e in piedi, e infine sottoporsi a una radiografia.

«Un bel respiro... Più lungo... Non respiri... Inspiri... Trattenga il fiato... Espiri...».

Una situazione comica, ma al contempo spiacevole, drammatica e bislacca. Maigret poteva forse campare ancora trent'anni, ma era altrettanto plausibile che, di lì a un paio di minuti, il medico gli annunciasse, con tutti i riguardi del caso, che la sua vita di uomo sano, assolutamente normale, era finita, e che d'ora in poi avrebbe dovuto considerarsi un invalido.

Tutti avevano seguito la stessa trafila, quelli che si incontravano nel parco, alle fonti, sotto gli alberi maestosi, lungo lo specchio d'acqua, e anche quelli che si abbronzavano sulla spiaggia, i giocatori di bocce, e i giocatori di tennis che si scorgevano sull'altra riva dell'Allier, sotto le fronde dello Sporting Club.

«Signorina Jeanne...».

«Sì, dottore...».

L'infermiera sapeva cosa doveva portare, ci era abituata, così come di abitudini avrebbero presto vissuto i Maigret a Vichy.

Prima l'apparecchietto per pungergli la punta di un dito, raccogliere le gocce di sangue e distribuirle su diversi vetrini.

«Si sdrai... Stringa il pugno...».

Un ago gli punse la vena del braccio.

«Apra...».

Non era certo il suo primo prelievo di sangue, ma quella volta sembrava quasi un avvenimento solenne.

«La ringrazio... Si rivesta pure...».

Poco dopo tornarono nello studio: le pareti erano tappezzate di libri e riviste mediche raccolte per annate.

«Non credo che il suo caso richieda interventi drastici... Ci rivedremo dopodomani alla stessa ora, quando avrò i risultati delle analisi... Nel frattempo, le prescriverò una dieta... Lei alloggia in albergo, vero?... Le basterà consegnare questo foglio al gestore... Lui capirà...».

Era una lista stampata, divisa in due colonne: in una erano indicati i piatti autorizzati, nell'altra quelli da evitare. Sul retro erano riportati anche degli esempi di menu veri e propri.

«Non so se conosce i diversi tipi di acque e le loro qualità curative. C'era un libretto scritto da due miei colleghi che spiegava bene tutto, ma credo sia esaurito... Per prima cosa, proveremo ad alternare le acque di due sorgenti, la Chomel e la Grande Grille; le troverà entrambe nel parco...».

Maigret e il medico avevano entrambi un'aria seria. Il commissario non aveva alcuna voglia di fare spallucce né di metterla sul ridere, mentre il dottore riempiva di annotazioni la pagina di un blocco per appunti.

«Ha l'abitudine di alzarsi presto e fare colazione?... Capisco... Sua moglie è qui con lei?... In questo caso non la manderò in giro per la città a digiuno... Vediamo... Cominci la mattina verso le dieci e mezzo, alla Grande Grille... Troverà delle sedie per riposarsi e, in caso di pioggia, un salone con una grande vetrata... Beva un bicchiere d'acqua ogni mezzora, per tre volte; l'acqua, mi raccomando, dev'essere più calda possibile...

«Il pomeriggio, verso le cinque, faccia altrettanto alla sorgente Chomel...

«Non si meravigli se, il giorno dopo, avvertirà un po' di stanchezza... È un effetto passeggero della cura... D'altra parte, poiché ci rivedremo...».

Ma quei tempi erano già lontani. Allora non era che un novellino, incapace di distinguere una sorgente dall'altra. Adesso, invece, si era adattato perfettamente alla cura, proprio come le migliaia, le decine di migliaia di uomini e donne con cui si trovava a stretto contatto dalla mattina alla sera.

In certi orari, tutte le seggioline gialle del parco erano occupate, come di sera intorno al chiosco della musica, e tutti aspettavano il momento di andare a bere la seconda, la terza e la quarta dose.

Anche lui, come gli altri, aveva acquistato un bicchiere graduato, e la signora Maigret aveva insistito per averne uno pure lei.

«Mica seguirai anche tu la cura?».

«Perché no? Che rischio corro? Ho letto sui dépliant che queste acque fanno dimagrire...».

Degli astucci di paglia intrecciata servivano da custodie per i bicchieri, e la signora Maigret li portava entrambi a tracolla come gli appassionati delle corse di cavalli portano i binocoli.

Non avevano mai passeggiato tanto. Alle nove del mattino erano già fuori, e a quell'ora, a parte qualche fattorino, per le strade tranquille del quartiere Francia – dove i Maigret alloggiavano, non lontano dalla sorgente dei Célestins – non c'era quasi nessuno in giro.

A pochi minuti dal loro albergo c'era un parco per bambini, con una piscina poco profonda, altalene, giochi di ogni tipo e un teatro di burattini più grande persino di quello degli Champs-Élysées.

«Ha il biglietto, signore?».

Avevano pagato un franco a testa e si erano messi a passeggiare sotto gli alberi, osservando i bambini che giocavano seminudi. Il giorno dopo c'erano tornati.

«Se acquista un blocchetto da venti biglietti le costerà di meno che...».

Non osò. Troppo impegnativo. Erano passati di là per caso e, se ci tornavano ogni giorno alla stessa ora, era solo per abitudine, o perché non avevano altro da fare.

La loro tappa successiva era nei pressi del campo di bocce; Maigret seguiva con attenzione due o tre partite, ritrovando ogni volta sotto lo stesso albero lo spilungone senza un braccio che, nonostante la menomazione, era il più bravo.

In un'altra squadra, dove si parlava con un marcato accento meridionale, c'era un tale – carnagione rosea e capelli bianchissimi, vestito in maniera impeccabile – che giocava con grande impegno e dignità, e che tutti chiamavano senatore.

Poco più in là iniziava la spiaggia, con il casotto della polizia locale, i palloni galleggianti che delimitavano la zona balneabile e la stessa gente sotto gli stessi ombrelloni.

«Non ti annoi?» gli aveva chiesto la moglie il secondo giorno.

«Perché?» aveva risposto Maigret stupito.

Non si annoiava affatto. A poco a poco stava adottando un nuovo ritmo, altre abitudini, magari senza neanche farci caso. Solo di recente, per esempio, si era accorto con stupore che ogni volta che arrivava all'altezza del ponte di Bellerive si caricava automaticamente una pipa. Lo stesso avveniva all'altezza dello Yacht Club, dove di solito lui e la moglie si fermavano a guardare i ragazzi e le ragazze che praticavano lo sci nautico.

«Secondo te è uno sport pericoloso?».

«Perché?».

Il parco, infine, e i bicchieri riempiti alla fonte da un'inserviente e che ciascuno beveva a piccoli sorsi. L'acqua era calda e salata, mentre alla sorgente Chomel sapeva terribilmente di zolfo; arrivato lì, Maigret si accendeva subito un'altra pipa.

La moglie si stupiva nel vederlo così docile, così calmo, e a volte trovava la cosa preoccupante.

Poi però si rese conto che lui, anche in vacanza, manteneva l'occhio del commissario, sia pure per gioco. Suo malgrado, infatti, non riusciva a fare a meno di osservare le persone nei minimi particolari e suddividerle in categorie. Per esempio, nel loro albergo, l'Hôtel de la Bérézina, che ricordava più una pensione a conduzione familiare, aveva già separato, sulla base della dieta che seguivano, gli epatici dai diabetici.

Si sforzava di immaginare la storia di ognuno, di farsi un quadro della sua vita normale, e talvolta rendeva la moglie partecipe di quel passatempo.

Era particolarmente incuriosito dai due che aveva soprannominato «gli ilari», l'ometto grassottello che sembrava sempre sul punto di andare a stringergli la mano e la sua dolce metà che gli faceva venire in mente una caramella. Che potevano mai fare nella vita di tutti i giorni? Avevano riconosciuto il commissario per aver visto la sua foto sui giornali?

Che poi, a Vichy, erano in pochi a riconoscerlo, molto meno che a Parigi. D'altra parte sua moglie gli aveva fatto comprare una giacca leggera, quasi bianca, di mohair, del tipo che portavano gli uomini di una certa età quando lui era bambino.

Ma, anche senza quel particolare, sarebbe stato difficile riconoscerlo. Al massimo, e di questo era certo, le persone che aggrottavano la fronte vedendolo, o che si voltavano per guardarlo meglio, si dicevano: «To'! Assomiglia a Maigret...».

Ma non avrebbero mai pensato che fosse proprio lui. Del resto, lo era così poco!

L'altro personaggio ad aver attirato la sua attenzione... La signora in lilla... Anche lei seguiva la cura, ma solo alla Grande Grille, dove i Maigret la vedevano ogni mattina... Di solito si sedeva un po' in disparte dagli altri, vicino all'edicola... Beveva giusto qualche sorso d'acqua ogni tanto, poi, dopo aver sciacquato e asciugato il bicchiere, lo riponeva con cura nell'astuccio di paglia, mantenendo per tutto il tempo un contegno dignitoso e distante...

La salutavano in tre o quattro. Nel pomeriggio, non si vedeva più in giro, forse andava allo stabilimento dell'idroterapia, o forse il medico le aveva ordinato di starsene a letto.

«Velocità di sedimentazione perfetta...» aveva annunciato il dottor Rian. «Media oraria: sei mm... Colesterolo un po' alto, ma nei limiti accettabili... Urea normale... Ferro serico in quantità trascurabile, niente di preoccupante... Stesso discorso per l'acido urico... Ho eliminato dalla sua dieta la selvaggina, le frattaglie e i crostacei... L'esame ematologico è eccellente, novantotto di emoglobina...

«Insomma, l'unica cosa di cui ha bisogno è una buona ripulita dell'organismo... Non avverte pesantezza, mal di testa?... Allora continuiamo così anche per i prossimi giorni... Ci rivediamo sabato...».

Quella sera, la sera della musica al chiosco, i Maigret non videro rincasare la signora in lilla, perché come al solito non attesero la fine del concerto, ma tornarono al quartiere Francia, ai suoi viali deserti, alle facciate dipinte di fresco, e rientrarono di buonora all'Hôtel de la Bérézina, la cui doppia porta di ingresso era fiancheggiata da due arbusti piantati in due grossi vasi.

Nella loro stanza c'erano un letto matrimoniale di ottone, mobili d'inizio secolo e una di quelle vasche da bagno rétro, con i piedi e i rubinetti a collo di cigno.

L'albergo era ben tenuto, silenzioso, salvo quando il figlio dei Gagnaire, che alloggiavano al primo piano, giocava da solo agli indiani in giardino.

Dormivano tutti.

Quanti giorni erano passati? Cinque? Sei? Al mattino, la più disorientata era la signora Maigret, non dovendo preparare il caffè. Alle sette portavano la prima colazione su un vassoio, con i croissant freschi e il giornale di Clermont-Ferrand, che dedicava due pagine alla cronaca di Vichy.

Maigret aveva preso l'abitudine di leggerle dalla prima all'ultima riga, sicché era al corrente di ogni minimo avvenimento locale. Leggeva anche i necrologi e gli annunci economici.

«Villa, tre camere, bagno, tutti i comfort, ottimo stato, con vista panoramica su...».

«Hai intenzione di comprare una villa?».

«No, ma è interessante. Mi domando se gli acquirenti saranno persone che vengono qui regolarmente per le cure e ci tengono ad avere la loro villa per passarvi un mese all'anno, o pensionati di Parigi o di qualche altra parte...».

Si vestivano uno alla volta e quando giungevano ai piedi della scala ricoperta da una passatoia rossa fermata da listelli di ottone, c'era sempre, a dar loro il buongiorno, il proprietario, che non era del posto, ma di Montélimar, come si capiva dall'accento.

Si godevano ogni minuto del loro tempo... Il parco dei bambini... I giocatori di bocce...

«A proposito, ho notato che il mercoledì e il sabato c'è il mercato... Potremmo farci un salto...».

Maigret aveva sempre amato i mercati, l'odore della verdura e della frutta, la vista dei quarti di bue, dei pesci, dei gamberi ancora vivi...

«Rian si è raccomandato, devo fare almeno cinque chilometri al giorno...».

Aveva un tono ironico.

«Non immaginerebbe mai che ne maciniamo in media una quindicina!...».

«Dici?».

«Fatti il conto... Camminiamo almeno per cinque ore... Anche se il nostro non è un passo atletico, meno di tre, quattro chilometri all'ora non puoi calcolare...».

«Non l'avrei mai detto...».

Il bicchiere d'acqua. La sedia gialla e la lettura dei giornali di Parigi appena arrivati. A mezzogiorno nella sala da pranzo, tutta bianca, dove su alcuni tavoli c'era una bottiglia di vino già aperta, munita di etichetta con il nome del pensionante. Non era il caso del tavolo dei Maigret.

«Ti ha proibito di bere?».

«Non formalmente. Ma visto che ci sono...».

La moglie continuava a non capacitarsi del fatto

che lui seguisse così coscienziosamente la cura senza per questo perdere il suo buonumore.

Dopo che il commissario si era concesso un pisolino, ricominciavano il loro tran tran, stavolta dall'altra parte della città, con le strade congestionate, i negozi, la folla sul marciapiede che li separava continuamente.

«Hai notato quanti pedicure e ortopedici?».

«Se tutti camminano quanto noi!...».

Quella sera il concerto non era previsto al chiosco, ma nel giardino del Grand Casino. Al posto degli ottoni c'erano gli strumenti a corda, e il risultato fu una musica più seriosa, così come seriosi erano i volti degli spettatori presenti.

La signora in lilla non si vide, e non la incrociarono nemmeno per i viali del parco. Si imbatterono invece nella coppia ilare: entrambi vestiti con più cura del solito, camminavano a passo svelto in direzione del teatro del casinò, dove davano una commedia.

Il letto di ottone. A non far niente, il tempo passava con una rapidità incredibile. I croissant, il caffè, le zollette di zucchero avvolte nella carta oleata, il giornale di Clermont-Ferrand.

Maigret, in poltrona vicino alla finestra, fumava la sua prima pipa in pigiama, con la tazza di caffè ancora piena, che faceva durare il più a lungo possibile.

A una sua improvvisa esclamazione, la signora Maigret spuntò dalla sala da bagno avvolta in una vestaglia a fiori azzurri, con lo spazzolino da denti in mano.

«Che c'è?».

«Guarda...».

Sulla prima pagina della cronaca locale campeggiava una fotografia, quella della signora in lilla. Era più giovane di qualche anno, e per l'occasione aveva fatto lo sforzo di abbozzare un sorriso.

«Cosa le è capitato?».
«È stata assassinata...».
«Stanotte?».
«Se fosse successo stanotte, non potrebbe parlarne il giornale di stamattina... La notte scorsa...».
«L'abbiamo vista al chiosco...».
«Già, dovevano essere le nove... Poi è tornata a casa, non lontano da dove stiamo noi, in rue du Bourbonnais... Non pensavo che fossimo quasi vicini... Ha fatto in tempo a togliersi lo scialle, il cappello, a entrare nel salotto, poi a sinistra per il corridoio...».
«Come è stata uccisa?».
«Strangolata... Ieri mattina i suoi inquilini si sono stupiti di non sentire alcun rumore al pianterreno...».
«Non era qui per la cura?».
«Abita a Vichy tutto l'anno... È proprietaria della casa di cui affitta, ammobiliate, le camere al primo piano...».
Maigret rimaneva seduto, e solo la moglie poteva sapere a prezzo di quale sforzo.
«Secondo te è un delitto per rapina?».
«L'assassino ha frugato dappertutto, ma pare che non abbia portato via nulla... In un cassetto, che pure è stato aperto, hanno ritrovato gioielli e denaro...».
«Non è mica stata...».
«Violentata? No...».
Maigret, in silenzio, guardò fuori dalla finestra.
«E sai chi conduce l'inchiesta?».
«Come potrei?».
«Lecœur, una volta mio ispettore e adesso capo della Polizia giudiziaria di Clermont-Ferrand... È qui... Non immaginerebbe mai che ci sono anch'io...».
«Hai intenzione di incontrarlo?».
Lui non rispose subito.

2

Alle nove meno cinque Maigret non aveva ancora risposto alla domanda della moglie. Sembrava si fosse fatto un punto d'onore di comportarsi in tutto e per tutto come se quella fosse una mattina uguale alle altre, e di attenersi scrupolosamente alla loro routine quotidiana.

Aveva finito di bere il caffè leggendo il giornale da cima a fondo, poi si era rasato e aveva fatto il bagno ascoltando come al solito il notiziario radiofonico. Alle nove meno cinque era pronto e scendeva insieme alla moglie le scale con la passatoia rossa e i listelli di ottone.

Il proprietario, in giacca bianca e berretto da cuoco, lo stava aspettando nella hall.

«Allora, commissario, la trattiamo bene qui a Vichy, eh? Addirittura un delitto in piena regola...».

Maigret riuscì ad accennare un sorriso.

«Se ne occuperà lei, spero!».

«Quello che succede fuori Parigi non è di mia competenza...».

La signora Maigret lo guardava di soppiatto, convinta, a torto, che lui non se ne accorgesse. Stavolta, però, invece di scendere per rue d'Auvergne, in direzione dell'Allier e del parco giochi, il commissario, con aria innocente, svoltò a destra.

Il cambio d'itinerario non era certo una novità, ma finora si era verificato solo al rientro, e d'altra parte la reazione della signora Maigret era sempre stata di meraviglia per il senso di orientamento che il marito dimostrava, tanto che non poteva fare a meno di trasalire quando poi si ritrovavano davanti all'albergo. Non l'aveva mai visto consultare una mappa, e il più delle volte lui dava l'impressione di procedere a casaccio: si inoltrava in viuzze che a prima vista sembravano portarli fuori strada, ma poi sbucavano dritti davanti alla facciata dell'Hôtel de la Bérézina e ai due arbusti nei loro grossi vasi verdi.

Il commissario girò di nuovo a destra e ancora a destra, finché sul marciapiede non comparve una quindicina di curiosi con lo sguardo rivolto oltre la carreggiata.

Gli occhi della signora Maigret ebbero un piccolo lampo. Il commissario pareva sulle spine: attraversò la strada, si fermò per vuotare la pipa contro il tacco della scarpa e riempirsene lentamente un'altra. In quei momenti alla moglie faceva tenerezza, perché dava l'idea di un bambinone.

Pur sentendosi molto combattuto, alla fine, come se avesse dimenticato dove si trovava, si mescolò al gruppo di curiosi e guardò anche lui la casa di fronte; vicino a una macchina parcheggiata lì davanti c'era di guardia un poliziotto.

La casa, come quasi tutte le altre della via, era graziosa e civettuola. La facciata era stata ridipinta da poco di rosa chiaro, e le imposte e le ringhiere dei balconi erano di un verde tendente al nocciola.

Su una targa di marmo si leggeva, scritto in un elegante corsivo: «*Gli iris*».

La signora Maigret sapeva bene che tipo di dramma stesse vivendo il marito. Prima aveva resistito alla tentazione di recarsi alla sede della polizia, adesso si era imposto di non attraversare la strada, avvicinare l'agente per dire chi era e farsi accompagnare nell'appartamento.

Nel cielo non c'era neanche una nuvola. La strada era pulita, l'aria limpida, leggera, briosa. Alla finestra di una casa adiacente una donna stava battendo i tappeti e lanciava al gruppetto di curiosi sguardi carichi di commiserazione. Eppure certamente anche lei, il giorno prima, quando il delitto era stato scoperto e la polizia era arrivata in forze, non aveva potuto fare a meno di scendere in strada insieme ai vicini per contemplare una facciata che pure conosceva da anni.

Ogni tanto si sentivano dei commenti.

«Pare si tratti di un dramma passionale...».

«Ma via! Aveva quasi cinquant'anni...».

Al primo piano, dietro i vetri, si intravedeva un volto con i capelli scuri e il naso appuntito, e a tratti, sullo sfondo, la sagoma di un uomo ancora giovane.

La porta d'ingresso era bianca. Il furgoncino del lattaio, che andava lasciando una bottiglia davanti alla maggior parte delle soglie, si fermò non lontano. Il fattorino scese e si diresse verso la porta bianca con una bottiglia di latte in mano. L'agente gli disse qualcosa, probabilmente che non era il caso, ma quello sollevò le spalle e lasciò lo stesso la bottiglia.

Prima o poi qualcuno si sarebbe accorto che Maigret... Non poteva rimanere lì all'infinito...

Proprio quando stava per allontanarsi, sulla porta

comparve un giovanottone dai capelli irsuti, attraversò la strada e si diresse verso di lui.

«Il commissario vorrebbe vederla...».

La moglie, trattenendo un sorriso, gli chiese:

«Dove ti aspetto?».

«Al nostro solito posto, davanti alla fonte...».

L'avevano riconosciuto dalla finestra? Maigret attraversò cercando di darsi un contegno, sforzandosi di assumere un'espressione imbronciata. All'ingresso, sulla destra del corridoio fresco, c'era un attaccapanni di bambù su cui erano appesi due cappelli, e Maigret vi aggiunse anche il suo, una paglietta che la moglie gli aveva fatto comprare insieme alla giacca di mohair e della quale un po' si vergognava.

«Entri pure, capo...».

Prima una voce allegra, familiare, poi un volto e una figura che Maigret riconobbe subito.

«Lecœur!».

Non si vedevano da una quindicina d'anni, da quando l'allora ispettore Désiré Lecœur faceva parte della squadra di Maigret al Quai des Orfèvres.

«Eh già, capo, eccomi qui, con qualche anno, qualche chilo e qualche grado in più. Sono commissario a Clermont-Ferrand, quindi questo caso tocca a me. Una vera seccatura... Venga...».

Gli fece strada fino a un salottino in cui l'aria era talmente densa di fumo da essere azzurrina, e si sedette davanti a un tavolino ingombro di carte che gli serviva provvisoriamente da scrivania.

Maigret prese posto, non senza cautela, su una fragile poltrona in finto Luigi XVI; aveva lo sguardo di chi ha una domanda sulla punta della lingua, e infatti Lecœur si affrettò a dire:

«Di sicuro si starà chiedendo come ho saputo della sua presenza qui. Prima di tutto, il capo della polizia di Vichy, Moinet, che lei non conosce, ha letto il suo nome tra quelli registrati negli elenchi degli alberghi... Ovviamente non ha osato disturbarla, ma i suoi uomini la vedono passare ogni giorno... Al mattino, per esempio, gli agenti di servizio sulla spiaggia si domandano quando si deciderà a giocare a bocce anche lei, visto che il gioco sembra appassionarla sempre più...».

«È arrivato ieri?».

«Sì, da Clermont-Ferrand naturalmente, insieme a due dei miei uomini: uno è Dicelle, il giovane ispettore che l'ha accompagnata qui. Ero indeciso se mandarla a chiamare. Ho pensato che fosse a Vichy per passare le acque e non per aiutare noi. D'altra parte, ero sicuro che se questa faccenda l'avesse interessata, lei stesso avrebbe finito per...».

Stavolta Maigret riuscì davvero ad assumere un'aria seccata.

«Un delitto a scopo di rapina?» borbottò.

«Sicuramente no».

«Passionale?».

«Poco probabile. Anche se, dopo ventiquattr'ore, non ne so molto più di quando sono arrivato ieri mattina...».

Frugò tra le scartoffie.

«La vittima si chiama Hélène Lange, nata a Marsilly, a una decina di chilometri da La Rochelle, quarantotto anni fa. Ho telefonato al sindaco di Marsilly, e lui mi ha spiegato che la madre, rimasta presto vedova, una volta gestiva una piccola merceria in place de l'Église.

«Aveva due figlie: la maggiore, Hélène, dopo aver frequentato dei corsi di stenodattilografia a La Rochelle, ha lavorato negli uffici di un armatore e poi è partita per Parigi. E qui le sue tracce si perdono...

«Non ha mai chiesto l'estratto dell'atto di nascita,

il che lascia supporre che non si sia mai sposata. In effetti, dalla carta di identità risulta nubile...

«La sorella, di sei o sette anni più giovane, ha fatto la manicure, anche lei a La Rochelle. E poi, proprio come Hélène, si è trasferita a Parigi, ma dopo una decina di anni è tornata al paese.

«Deve aver messo da parte un bel gruzzolo, perché ha acquistato un salone da parrucchiera in place d'Armes, tuttora di sua proprietà... L'ho cercata al telefono, ma sono riuscito a parlare solo con un'aiutante che al momento la sostituisce perché lei è in vacanza alle Baleari... Le ho telegrafato in albergo chiedendole di rientrare con urgenza e credo che sarà qui in giornata...

«Nemmeno lei, Francine, è sposata... La madre è morta otto anni fa... Non abbiamo notizie di altri parenti...».

Maigret aveva assunto suo malgrado l'espressione che aveva nel corso di un'indagine. Sembrava fosse lui a condurre l'inchiesta e che uno dei suoi collaboratori gli stesse facendo rapporto nel suo ufficio.

Oltre alle amate pipe, tuttavia, con le quali era abituato a giocherellare, gli mancavano la vista della Senna dietro la finestra e lo schienale della sua solida poltrona in cui sprofondare.

Mentre Lecœur parlava, aveva notato alcuni particolari, soprattutto che in quel salotto che fungeva anche da soggiorno c'erano solo fotografie di Hélène Lange. Su una cassapanca, la si vedeva a cinque o sei anni, in un abito troppo lungo per lei, con due treccine ai lati del viso.

Alla parete, un ritratto più grande, eseguito da un buon fotografo, la mostrava in una posa romantica, con lo sguardo etereo, probabilmente a vent'anni.

In una terza foto stava in piedi sulla riva del mare. Non era in costume, ma indossava un abito bianco che la brezza faceva svolazzare verso sinistra come una bandiera, e con entrambe le mani teneva fermo un cappello chiaro a tesa larga.

«Sa come e quando è stato commesso il crimine?».

«Non è facile ricostruire esattamente la dinamica... Ci stiamo lavorando da ieri mattina, ma abbiamo fatto scarsi progressi...

«L'altro ieri, lunedì sera, Hélène Lange ha cenato da sola in cucina. Ha lavato i piatti e rigovernato, visto che abbiamo trovato tutto in ordine, poi si è vestita ed è uscita dopo aver spento le luci. Se le può interessare, ha mangiato due uova alla coque. Indossava un abito lilla, uno scialle di lana bianco e un cappello, sempre bianco...».

Maigret esitò, ma poi non poté resistere alla tentazione di dichiarare:

«Lo so...».

«Ha già fatto qualche ricerca?».

«No, lunedì sera l'ho vista seduta davanti al chiosco dove davano un concerto...».

«Non sa a che ora ha lasciato il parco?».

«Io e mia moglie ci siamo allontanati prima delle nove e mezzo, per la nostra solita passeggiata...».

«Era sola?».

«Era sempre sola».

Lecœur non cercò di nascondere il suo stupore.

«L'ha notata altre volte?».

Un Maigret più sorridente fece cenno di sì con il capo.

«Perché?».

«Qui si passa il tempo a passeggiare e, automaticamente, ci si guarda l'un l'altro. Si finisce per ritrovarsi sempre alla stessa ora e negli stessi posti...».

«Ha qualche idea?».

«A che proposito?».

«Su che tipo di donna fosse».

«L'unica cosa che mi sento di dire è che non era una persona banale...».

«Bene... Vado avanti... Due delle tre camere del primo piano sono affittate... La prima è occupata da un ingegnere di Grenoble, un certo Maleski, e da sua moglie... Sono usciti qualche minuto dopo la signorina Lange per andare al cinema e non sono tornati prima delle undici e mezzo... Secondo loro, tutte le imposte della casa erano ben chiuse, come al solito, ma al rientro hanno notato che da quelle del pianterreno filtrava una luce... Una volta nel corridoio, poi, hanno visto una luce anche sotto la porta del salotto e sotto quella della camera da letto della signorina Lange, che è a destra...».

«Non hanno sentito nulla?».

«Lui no... Alla moglie, anche se non ne è sicura, pare di aver sentito un brusio... Si sono coricati quasi subito e hanno dormito fino alla mattina del giorno dopo...

«L'altra camera è occupata dalla vedova Vireveau, che abita a Parigi in rue Lamarck... È un donnone sulla sessantina, che viene a Vichy ogni anno per perdere qualche chilo... È la prima volta che affitta una camera dalla signorina Lange... Prima era sempre andata in albergo...

«Pare che un tempo abbia condotto tutto un altro genere di vita: il marito era ricco ma troppo generoso, e l'ha lasciata in una situazione difficile... Per farla breve, è ricoperta di gioielli falsi e ci tiene a recitare il ruolo della gran dama... È uscita alle nove... Non ha visto nessuno e ha lasciato la casa completamente al buio...».

«Ogni inquilino ha la sua chiave?».

«Sì... La Vireveau si è recata al club di bridge del Carlton, che ha lasciato un po' prima di mezzanotte... È tornata a piedi, come sua abitudine... Non ha la macchina. I Maleski ce l'hanno, un'utilitaria, ma quando sono a Vichy la usano poco, la lasciano quasi sempre in un garage del quartiere...».

«Anche lei ha visto quelle luci accese?».

«Un momento, capo... Ovviamente, sono riuscito a interrogare la Vireveau solo dopo che il delitto era stato scoperto, e qui intorno c'era una gran confusione... Non so se l'immaginazione della signora sia pari alla fantasia con la quale sceglie i gioielli... Da quel che mi ha raccontato, comunque, arrivata all'angolo della strada, vale a dire all'incrocio tra boulevard de la Salle e rue du Bourbonnais, si è quasi scontrata con un uomo... Costui non l'aveva vista arrivare, e la vedova giura che lui sia trasalito e si sia coperto il volto con la mano, come se non volesse farsi riconoscere...».

«Ma lei lo ha riconosciuto lo stesso!».

«No. Ma è convinta che ci riuscirebbe se se lo vedesse davanti... Aveva un fisico imponente... Un enorme petto da gorilla, a sentir lei... Camminava in fretta, a testa bassa... Lei ha avuto paura, però si è voltata ugualmente a guardarlo mentre lui filava via verso il centro...».

«Quanti anni avrà avuto?».

«Né vecchio né giovane... Un omone grande e grosso... Da mettere i brividi... La Vireveau è quasi scappata via di corsa anche lei, e si è sentita tranquilla solo quando ha infilato la chiave nella serratura...».

«Le luci al pianterreno erano ancora accese?».

«Appunto: non più, secondo lei, per quanto possa essere attendibile la sua testimonianza. Non ha sentito niente. È andata a letto, ed era così scossa che ha preso una zolletta di zucchero imbevuta di liquore alla menta...».

«Chi ha scoperto il delitto?».

«Ci sto arrivando, capo. La signorina Lange era disposta ad affittare le sue camere a persone rispettabili, ma non a servirgli i pasti... Non permetteva nemmeno che fossero gli inquilini a cucinare, e vietava persino il fornello a spirito per farsi il caffè...

«Ieri mattina, verso le otto, la signora Maleski è scesa con il suo termos per farselo riempire di caffè nel bar vicino, dove di solito compra anche i croissant... Non ha notato niente di particolare... Neanche rientrando... Si è solo meravigliata di non sentire alcun rumore, soprattutto la seconda volta, perché la signorina Lange si alzava di buonora e la si sentiva andare su e giù per casa...

«"Mi domando se non sia malata" ha detto al marito mentre facevano colazione.

«Perché la proprietaria si lamentava spesso e volentieri della sua salute. Alle nove i due sono scesi, mentre la signora Vireveau era ancora in camera, e nel corridoio si sono imbattuti in Charlotte, che aveva una faccia perplessa...».

«Charlotte?».

«La giovane domestica che ogni mattina, dalle nove a mezzogiorno, faceva le pulizie e riordinava le camere... Viene in bicicletta da un paese a una decina di chilometri da qui; è una sempliciotta...

«"Tutte le porte sono chiuse" ha detto ai Maleski.

«Di solito, quando arrivava, trovava porte e finestre del pianterreno aperte, perché la signorina Lange arieggiava spesso le stanze.

«"Non ha la chiave?" le hanno chiesto.

«"No... Se la signorina non c'è, tanto vale che me ne vada..." ha concluso Charlotte.

«Il signor Maleski ha provato ad aprire con la chiave della sua camera, ma non ci è riuscito e così alla fine, dallo stesso bar dove poco prima la moglie aveva comprato il caffè, ha telefonato alla polizia.

«È tutto, più o meno. Il tenente di polizia di Vichy è arrivato poco dopo con un fabbro. La chiave del salotto mancava. Le altre porte, quella della cucina e della camera da letto, erano chiuse dall'interno, con le chiavi nella serratura...

«Hélène Lange era distesa proprio qui, in salotto, sul bordo del tappeto, ma sarebbe più giusto dire che era ripiegata su se stessa – non un gran bello spettacolo, dato che era stata strangolata...

«Indossava ancora l'abito lilla, ma non lo scialle e il cappello, che abbiamo ritrovato sull'attaccapanni in corridoio... I cassetti dei mobili erano aperti e il pavimento era cosparso di documenti e scatole di cartone...».

«Nessun segno di violenza carnale?».

«Neanche il tentativo... Né furto, per quanto ne sappiamo... Stamattina, sulla "Tribune", è apparso un resoconto abbastanza fedele... In un cassetto sono state trovate cinque banconote da cento franchi... La borsetta della vittima è stata rovistata e il suo contenuto sparpagliato in giro, così come tutto il resto, inclusi quattrocento franchi in biglietti da dieci e da venti, degli spiccioli e un abbonamento al teatro del Grand Casino...».

«Era da molto che aveva comprato questa casa?».

«Nove anni... Era arrivata da Nizza, dove ha abitato per un po'...».

«Lavorava là?».

«No... Risiedeva in un modesto appartamentino, nei pressi di boulevard Albert I, pare che vivesse di rendita...».

«Viaggiava?».

«Quasi ogni mese, stava via due o tre giorni...».

«Si sa dove andava?».

«Non ne parlava mai con nessuno...».

«E qui?».

«Per i primi due anni non ha preso inquilini... Poi ha deciso di affittare tre camere durante l'alta stagione, ma le camere non erano sempre occupate... Come adesso... La camera azzurra è vuota... Perché ci sono la camera bianca, la camera rosa e quella azzurra...».

Maigret fece un'altra constatazione. In giro non aveva visto niente di verde, né un soprammobile né un cuscino né un ninnolo qualsiasi.

«Era superstiziosa?».

«Come lo sa? Una volta si è arrabbiata perché la signora Maleski era tornata con un mazzo di garofani: le ha detto che non voleva quei fiori di malaugurio in casa sua...

«Un'altra volta, invece, ha fatto notare alla signora Vireveau che indossare un vestito verde era un'imprudenza che di certo le sarebbe costata cara...».

«Riceveva visite?».

«Secondo i vicini, mai».

«Posta?».

«Qualche volta una lettera da La Rochelle. Il postino, che è stato interrogato, ha parlato di volantini pubblicitari o di fatture di qualche negozio di Vichy».

«Aveva un conto in banca?».

«Presso il Crédit Lyonnais, all'angolo di rue Georges-Clemenceau».

«Ci è già andato, vero?».

«Faceva versamenti regolari, circa cinquemila franchi al mese, ma non sempre lo stesso giorno».

«In contanti?».

«Sì... In alta stagione, le somme versate erano più consistenti, per via del fitto pagato dagli inquilini...».

«Le capitava di firmare assegni?».

«A qualche fornitore, quasi tutti di Vichy o di

Moulins, dove si recava ogni tanto... A volte pagava con assegni anche della merce che ordinava da Parigi per corrispondenza... Da qualche parte, in un angolo, troverà una pila di cataloghi...».

Lecœur osservava il commissario: quella giacca chiara lo rendeva così diverso dal Maigret che si incontrava di solito al Quai des Orfèvres.

«Che ne pensa, capo?».

«Che devo andare... Mia moglie mi sta aspettando...».

«E così pure il suo primo bicchiere d'acqua!».

«La polizia di Vichy sa anche questo?» borbottò.

«Ritornerà? La Polizia giudiziaria non ha uffici a Vichy. Io la sera rientro a Clermont-Ferrand in macchina, in fondo è solo a una sessantina di chilometri. Il comandante della polizia locale ha detto che mi avrebbe messo a disposizione una stanza e un telefono, ma io preferisco lavorare sul posto... I miei uomini stanno cercando di rintracciare un passante o un vicino che abbia visto la signorina Lange lunedì sera quando è rientrata, dal momento che non sappiamo se era accompagnata, se ha trovato qualcuno in casa, o se...».

«Con permesso, vecchio mio... Mia moglie...».

«Certo, capo...».

Maigret era combattuto tra la curiosità e le nuove abitudini. Rimpiangeva un po' di aver svoltato a destra invece che a sinistra, dopo essere uscito dall'Hôtel de la Bérézina. Si sarebbe fermato, come ogni mattina, al parco dei bambini, poi, più in là, avrebbe osservato i giocatori di bocce.

Chissà se la signora Maigret, da sola, aveva fatto il loro solito giro, fermandosi in tutti i posti dove avevano l'abitudine di sostare...

«Vuole che la faccia accompagnare? Ho la macchina qui davanti e Dicelle non chiederebbe di meglio che...».

«Grazie... Sono qui per camminare...».

E camminò, anche lui da solo, di buon passo, per recuperare il tempo perso.

Aveva bevuto il primo bicchiere d'acqua e ritrovato il suo posto, tra l'edificio con la grossa vetrata e il primo albero. Sentiva che la moglie, anche se non gli faceva domande, era attenta a cogliere ogni suo minimo gesto, ogni espressione del suo viso.

Lui, con il giornale sulle ginocchia, guardava attraverso il fogliame appena mosso il cielo di un azzurro sempre così puro, nel quale fluttuava una nuvoletta bianco smagliante.

Talvolta, a Parigi, si lamentava di non ritrovare più certe sensazioni di cui conservava un ricordo nostalgico: un refolo di vento intiepidito dal sole sulla guancia, i giochi di luce tra le foglie o lo scricchiolio della ghiaia sotto i passi della folla, e perfino il sapore della polvere...

Lì il miracolo si realizzava. Mentre pensava a quello che gli aveva detto Lecœur, si sentiva parte dell'ambiente circostante, e nulla di ciò che gli succedeva intorno gli sfuggiva.

Erano pensieri lucidi, i suoi, o semplici vagheggiamenti? Difficile dirlo... Ogni tanto passava qualche famiglia, come dappertutto, ma le coppie di una certa età erano in maggioranza.

Tra le persone sole, erano di più gli uomini o le donne? Le donne, soprattutto le più anziane, avevano la tendenza a far gruppo. Le si vedeva sistemare in cerchio sei, otto sedie alla volta, e chinarsi le une verso le altre con l'aria di scambiarsi delle confidenze, anche se si conoscevano solo da pochi giorni.

Chissà, magari si stavano davvero scambiando confidenze... Chiacchieravano dei loro acciacchi, dei medici e della cura che stavano seguendo, poi dei figli sposati e dei nipotini, e tiravano fuori dalla borsetta, immancabile, la foto di questi ultimi.

Raramente se ne stavano per conto proprio, in disparte, come la signorina in lilla di cui ora Maigret conosceva il nome.

I solitari erano più numerosi tra gli uomini, spesso con il fisico segnato dalla stanchezza o dalla malattia. Si sforzavano di attraversare la folla con dignità, ma nei loro lineamenti, nel loro sguardo, si percepiva una sorta di angoscia, di non ben definita paura di accasciarsi improvvisamente tra le gambe dei passanti, in una pozza d'ombra o di sole.

Hélène Lange era una solitaria, e il suo atteggiamento, il suo contegno, tradivano una certa fierezza. Ben lungi dal farsi trattare come una zitella, non accettava la pietà di nessuno e camminava spedita, a testa alta e con la schiena dritta.

Teneva tutti a distanza e non sentiva il bisogno di lasciarsi andare a facili confidenze per trovare chissà quale conforto.

Era stata una sua scelta quella di vivere da sola?

Maigret, incuriosito, se lo chiedeva sforzandosi di rivederla: seduta o in piedi, immobile o in movimento.

«Seguono una pista?».

La signora Maigret cominciava a sentirsi gelosa di quel suo fantasticare, e il silenzio prolungato del marito la metteva a disagio. A Parigi non avrebbe mai osato fargli domande su un'inchiesta in corso. Lì, invece, camminando fianco a fianco per ore, avevano preso ciascuno l'abitudine di pensare a voce alta.

Non si trattava mai di conversazioni vere e proprie, né di dialoghi ben definiti, ma quasi sempre di qualche parola, di un'osservazione, sufficiente però a indicare il corso dei rispettivi pensieri.

«No. Aspettano la sorella...».

«Ha altri parenti?».

«Pare proprio di no...».

«È l'ora del tuo secondo bicchiere...».

Entrarono nel salone delle fonti; le teste delle mescitrici spuntavano dalla fossa nella quale lavoravano. Hélène Lange andava a bere lì ogni giorno. Chissà se lo faceva perché glielo aveva prescritto il medico o per dare uno scopo alla sua passeggiata...

«A che pensi?».

«Mi chiedo perché proprio Vichy».

Erano passati dieci anni da quando Hélène aveva deciso di stabilirsi in quella città, comprandovi casa. Allora aveva trentasette anni e, a quanto pare, non aveva bisogno di guadagnarsi da vivere, dato che, per i primi due anni, non aveva affittato le camere del primo piano.

«E perché no?» rispose la signora Maigret.

«In Francia ci saranno centinaia di cittadine, piccole e meno piccole, dove avrebbe potuto sistemarsi, senza contare La Rochelle, che già conosceva per averci trascorso l'infanzia e l'adolescenza... La sorella, dopo aver vissuto a Parigi, è pur tornata a La Rochelle e ci vive tuttora...».

«Può darsi che tra loro non corresse buon sangue».

Non era così semplice. Maigret continuava a osservare le persone a passeggio; la loro andatura gli fece venire in mente che una sfilata di gente così, interminabile, l'aveva già vista da un'altra parte: in una calda mattina di sole sulla Promenade des Anglais di Nizza.

In effetti, prima di trasferirsi a Vichy, Hélène Lange aveva vissuto cinque anni a Nizza.

«Ha vissuto cinque anni a Nizza» disse a voce alta.

«Molti di quelli che dispongono di una piccola rendita...».

«Già... Chi dispone di una piccola rendita, ma anche gente di ogni strato sociale, proprio come a Vichy... L'altro ieri mi chiedevo cosa mi ricordasse la folla che cammina in questo parco o che se ne sta seduta sulle seggioline gialle... Adesso ci sono: è lo stesso tipo di folla che si vede sul lungomare di Nizza... Una massa di persone che hanno origini e provenienze così diverse fra loro da fondersi in un tutt'uno indistinto... Anche qui ci saranno – o ci sono state in passato – vecchie glorie del bel mondo, del teatro, del cinema... Ricordi quel quartiere in cui ci siamo imbattuti l'altro giorno, pieno di appartamenti lussuosi dove si vedono ancora i camerieri con i gilè a righe?...

«Sulle colline, poi, si intravedono ville sfarzose e impenetrabili...

«Come a Nizza...».

«Cosa ne deduci?».

«Niente. Hélène Lange aveva trentadue anni quando si è trasferita a Nizza, ed era sola come qui. In genere, la solitudine non inizia così presto...».

«Esistono anche le pene d'amore...».

«Lo so, ma non danno al viso un'espressione come quella che aveva lei».

«Ci sono anche le coppie separate...».

«Novantacinque donne su cento si risposano».

«E gli uomini?».

Lui fece un gran sorriso e, con un tono tra il serio e il faceto, rispose:

«Il cento per cento!».

A Nizza – sede di succursali di molti grandi negozi parigini e di svariati casinò – la gente andava e veniva di continuo. A Vichy, con i suoi numerosi negozi, i tre casinò e la dozzina di cinema, erano decine di migliaia le persone che, ogni tre settimane, si avvicendavano per passare le acque.

In qualsiasi altra città, Hélène avrebbe finito per attirare l'attenzione pettegola di qualcuno, e si sarebbe venuti a sapere tutto sul suo conto.

Non a Nizza, né a Vichy. Aveva qualcosa da nascondere?

«Devi rivedere Lecœur?».

«Mi ha chiesto di andare a trovarlo quando voglio... Continua a chiamarmi capo come ai tempi in cui era uno dei miei ispettori...».

«Fanno tutti così...».

«È vero... Per abitudine, forse...».

«Non credi che sia per affetto, invece?».

Maigret alzò le spalle, e poco dopo lui e la moglie ripresero la strada del ritorno. Stavolta passarono per la città vecchia, fermandosi incuriositi davanti alle vetrine degli antiquari che esponevano oggetti spesso commoventi.

Si erano accorti che a tavola gli altri pensionanti li osservavano, ma bisognava pur farci l'abitudine. Maigret si sforzava di mangiare seguendo le raccomandazioni del dottor Rian: non mandar giù niente, nemmeno il purè di patate, senza averlo prima masticato con cura, non infilzare un boccone con la forchetta prima di aver inghiottito il boccone precedente, non bere più di uno o due sorsi d'acqua, con l'aggiunta di un goccio di vino al massimo...

Lui preferiva rinunciare completamente al vino.

Salendo le scale prima di coricarsi, tutto vestito, per il solito pisolino, si concedeva qualche boccata di pipa. Dalle imposte filtrava luce a sufficienza perché la moglie, in poltrona, potesse scorrere a sua volta il giornale, e nel dormiveglia gli capitava qualche volta di sentire il fruscio delle pagine.

Se ne stava sdraiato da appena venti minuti, quando qualcuno bussò. La signora Maigret si precipitò sul pianerottolo richiudendosi la porta alle spalle. Vi furono dei bisbigli, poi lei scese le scale e dopo qualche minuto tornò.

«Era Lecœur».

«Ci sono novità?».

«La sorella è appena arrivata. Si è presentata alla sede della polizia e sta per essere accompagnata all'obitorio per il riconoscimento del corpo. Lecœur la aspetta in rue du Bourbonnais per interrogarla. Vuole sapere se ti andrebbe di raggiungerlo...».

Maigret era già in piedi e borbottava. Aprì le persiane, per restituire la camera alla luce piena e alla vita.

«Ci troviamo alla sorgente?» gli chiese la moglie.

La sorgente, il primo bicchiere d'acqua, la sedia di ferro significavano le cinque del pomeriggio.

«Non ci vorrà molto. È meglio se mi aspetti su una panchina vicino ai giocatori di bocce...».

Prima di mettersi il cappello di paglia, Maigret ebbe un attimo di esitazione.

«Hai paura che ti prendano in giro?».

Pazienza. Dopotutto era in vacanza, e se lo calcò spavaldamente in testa.

Qualche curioso continuava a fermarsi davanti alla casa, sempre piantonata da un agente di polizia, ma non appena si rendeva conto che non c'era altro da vedere se non delle finestre chiuse, si allontanava scuotendo la testa.

«Si accomodi, capo... Se sposta la poltrona nell'angolo vicino alla finestra, la vedrà in piena luce...».

«Non l'ha ancora incontrata?».

«Ero a tavola – fra parentesi, in un ottimo ristorante – quando mi hanno avvertito che era arrivata alla polizia... Dopo l'obitorio, la porteranno qui...».

Attraverso le tendine di tulle, in effetti, intravidero una macchina nera con un poliziotto in uniforme alla guida, che ne precedeva un'altra, lunga, rossa e scoperta. Sui sedili davanti c'erano un uomo e una donna che, capelli scarmigliati, bella abbronzatura, avevano l'aspetto di chi è appena rientrato dalle vacanze.

I due, dopo aver confabulato brevemente tra loro, si scambiarono un bacio di sfuggita; poi la donna scese dalla macchina sbattendo la portiera, mentre il suo compagno rimase seduto al volante e si accese una sigaretta.

Lui era moro, con un viso dai lineamenti marcati e spalle larghe da sportivo, messe in evidenza da una maglietta gialla. Osservò la casa con uno sguardo privo di curiosità, mentre il poliziotto faceva entrare la giovane donna in salotto.

«Commissario Lecœur... Francine Lange, suppongo...».

«Esatto».

Francine lanciò una rapida occhiata a Maigret, che non le fu presentato e se ne rimase seduto in controluce.

«Signora o signorina?».

«Non sono sposata, se è questo che vuole sapere. L'amico che mi aspetta in macchina sta con me, ma conosco troppo gli uomini per sposarne uno. Dopo, diventa un'impresa liberarsene...».

Era una bella donna, e non dimostrava affatto la sua età, quarant'anni. Indossava un abito rosso fuoco, così leggero da risultare trasparente, e le sue forme provocanti sembravano fuori luogo in quel salotto angusto e convenzionale; con ogni probabilità, la sua pelle sapeva ancora di mare.

«Il telegramma mi è arrivato ieri sera... Lucien si è subito dato da fare per trovare due posti sul primo aereo per Parigi... A Orly abbiamo ripreso la macchina che avevamo lasciato alla partenza...».

«Si tratta proprio di sua sorella, vero?...».

Lei annuì, senza tradire alcuna emozione.

«Vuole sedersi?».

«Grazie. Posso fumare?».

Guardò il fumo che usciva dalla pipa di Maigret come a dire: «Se quello là può fumarsi la pipa, io avrò pure il diritto di accendermi una sigaretta...».

«Prego... Presumo che questo delitto l'abbia meravigliata almeno quanto noi...».

«Ovviamente, non mi sarei mai aspettata che...».

«Sa se sua sorella aveva dei nemici?».

«Perché avrebbe dovuto averne?».

«Quando l'ha vista l'ultima volta?».

«Sei o sette anni fa, di preciso non lo so... Era inverno, questo me lo ricordo, e il tempo era pessimo... Non mi aveva detto che sarebbe venuta a trovarmi, e quando me la sono vista entrare in negozio come se niente fosse, sono rimasta di stucco...».

«Andavate d'accordo?».

«Lo sa com'è tra sorelle... Non l'ho mai conosciuta bene, c'era troppa differenza d'età... Quando lei finiva la scuola, io la cominciavo... Ha seguito dei corsi a La Rochelle molto prima che io diventassi manicure... Poi ha lasciato la città...».

«Quanti anni aveva quando se ne è andata?».

«Aspetti... Io facevo l'apprendista da un anno... Quindi avevo sedici anni... Più sette... Aveva ventitré anni...».

«Le scriveva mai?».

«Raramente... In famiglia non usiamo...».

«Vostra madre era già morta?».

«No... È morta due anni dopo ed Hélène è venuta a Marsilly per l'eredità... Anche se non c'era granché da spartire... Il negozio valeva due soldi...».

«Che faceva sua sorella a Parigi?».

Maigret, nel frattempo, continuava a scrutarla, a esaminarla con estrema attenzione, tentando allo stesso tempo di richiamare alla memoria l'aspetto fisico e il volto della sorella morta. Non si assomigliavano molto: Francine non aveva né il viso lungo né gli occhi scuri di Hélène. I suoi occhi erano azzurri, i capelli di un biondo probabilmente accentuato dalla tintura, visto che, sul davanti, c'era una strana ciocca di un rosso acceso.

Di primo acchito, sembrava una brava ragazza, che doveva ricevere le sue clienti con piglio esuberante, persino un po' sguaiato. Non cercava di apparire distinta, anzi, accentuava quasi di proposito quel che c'era in lei di volgare.

Non era passata nemmeno mezzora da che era stata all'obitorio per riconoscere il cadavere della sorella e già rispondeva quasi di buonumore alle domande di Lecœur, con l'atteggiamento di chi è abituato a sedurre.

«Che faceva a Parigi?... Per quel che ne so io, la dattilografa in un ufficio, ma non mi sono mai presa la briga di controllare... Eravamo abbastanza diverse, noi due... A quindici anni io avevo già il ragazzo, un tassista, e da allora ne ho avuti parecchi altri... Non penso che per Hélène sia stato lo stesso, a meno che non sia stata particolarmente brava a nasconderlo...».

«Da quale indirizzo le scriveva?».

«All'inizio, mi ricordo di un albergo di avenue de Clichy, ma ho dimenticato il nome... Ha cambiato spesso albergo... Poi ha vissuto in un appartamento di rue Notre-Dame-de-Lorette, a quale numero non saprei...».

«Quando si è trasferita a Parigi anche lei, non è andata a trovarla?».

«Sì... In rue Notre-Dame-de-Lorette, appunto, e mi sono meravigliata di vederla così ben sistemata... Gliel'ho fatto notare... Aveva una bella camera da letto che dava sulla strada, il soggiorno, la cucina e un bagno come si deve...».

«Nella sua vita non c'era nessun uomo?».

«Non l'ho mai saputo... Nell'attesa di trovare anch'io una camera che mi andasse a genio, volevo fermarmi qualche giorno da lei... Mi ha risposto che mi avrebbe accompagnata in un albergo pulito ed economico, perché non riusciva a vivere con nessuno...».

«Nemmeno per tre o quattro giorni?».

«Così ho capito».

«Non si è meravigliata?».

«Non più di tanto... Sa, ce ne vuole per sorprendermi... Se gli altri lasciano in pace me, io lascio in pace loro e non faccio domande...».

«Per quanto tempo è rimasta a Parigi?».

«Undici anni...».

«Sempre come manicure?».

«All'inizio come manicure nei saloni di parrucchiere della zona, e alla fine in un albergo di lusso sugli Champs-Élysées... Ho imparato a fare la visagista...».

«Anche lei viveva da sola?».

«A volte sì, a volte no...».

«Si vedeva con sua sorella?».

«Praticamente mai...».

«Dunque, non sapeva nulla della sua vita parigina...».

«Tutto quello che so è che lavorava...».

«Quando è tornata a La Rochelle per mettersi in proprio, aveva molti risparmi?».

«Abbastanza...».

Lecœur non le chiese in che modo si fosse guadagnata quei soldi. Nemmeno lei ne parlò, ma sembrava dare per scontato che non ci fossero dubbi in proposito.

«Non si è mai sposata?».

«Le ho già risposto. Non sono così stupida...».

E, voltandosi verso la finestra dalla quale si vedeva il suo compagno che si pavoneggiava al volante della sua auto rossa, aggiunse:

«Guardi che aria da furbetto...».

«Eppure vivete insieme...».

«È solo un mio dipendente, e bravo, per di più... A La Rochelle viviamo ognuno per conto proprio, non ce la farei a trovarmelo fra i piedi giorno e notte... In vacanza, passi...».

«La macchina di chi è?».

«Mia, ovviamente».

«Ma l'ha scelta lui...».

«Ha indovinato...».

«Sua sorella non ha mai avuto figli?».

«Perché me lo domanda?».

«Così... Era una donna...».

«Per quanto ne so io, no... Altrimenti si saprebbe, non le pare?».

«E lei?».

«Ne ho avuto uno, quando vivevo ancora a Parigi, quindici anni fa... All'inizio avevo pensato di liberarmene, e sarebbe stato meglio così... È stata mia sorella a consigliarmi di farlo nascere...».

«A quell'epoca, dunque, vi vedevate?».

«Sono andata da lei proprio per questo motivo... Avevo bisogno di parlarne con qualcuno di famiglia... Può sembrare buffo, ma ci sono dei momenti in cui ci si ricorda di avere una famiglia... Per farla breve, ho avuto un figlio, Philippe... L'ho messo a balia nei Vosgi...».

«Perché lì? Conosceva qualcuno?».

«Nessuno. Hélène ha trovato quell'indirizzo in non so quale annuncio... Sono andata a trovarlo una decina di volte in due anni... Stava bene, viveva in una fattoria con dei contadini... Erano brava gente e la casa era pulita... Poi, un bel giorno, mi hanno fatto sapere che il piccolo era annegato in un lago...».

Rimase un momento soprappensiero, poi alzò le spalle.

«Dopotutto, per lui, forse è stato meglio così...».

«Sapeva se sua sorella era legata a qualcuno, amici, amiche?».

«Non doveva averne granché. Già a Marsilly guardava le altre ragazze dall'alto in basso, tanto che la chiamavano la principessa. Credo che alla scuola di stenodattilografia, a La Rochelle, sia stata la stessa cosa...».

«Era orgogliosa?».

Ebbe un attimo di esitazione, ci pensò su.

«Non lo so. Non userei questa parola. Non le piaceva nessuno, non voleva avere a che fare con nessuno. Ecco! Preferiva rimanere da sola...».

«Non ha mai tentato il suicidio?».

«Perché? Lei crede che...».

Lecœur sorrise.

«No... Non ci si uccide strangolandosi... Mi chiedo solo se, in passato, non abbia tentato di farla finita...».

«Sono sicura di no... Lei si piaceva così... In fondo, era molto soddisfatta...».

Quella parola, soddisfatta, colpì Maigret, che rivide la signorina in lilla seduta di fronte al chiosco.

Allora aveva cercato di definire l'espressione del suo viso, senza riuscirvi.

Francine lo aveva appena fatto: lei si piaceva!

E si piaceva a tal punto che, solo nel salotto, c'erano tre foto sue, e probabilmente ce n'erano anche nella stanza da pranzo e nella camera da letto, dove lui non era entrato. Non c'erano ritratti di nessun altro, né della madre né della sorella né di un amico o di un'amica. In riva al mare, la foto la ritraeva da sola davanti alle onde.

«Allo stato attuale, lei dovrebbe essere l'unica erede... Non abbiamo trovato un testamento fra le sue carte... Vero è che l'assassino le ha sparse ovunque, ma non vedo per quale ragione avrebbe dovuto portarsi via un testamento... Finora non si è fatto vivo nessun notaio...».

«Quando ci sarà il funerale?».

«Sta a lei decidere... Il medico legale ha finito, il corpo è a sua disposizione quando lo desidera...».

«Dove crede che dovrei seppellirla?».

«Non ne ho idea...».

«Qui non conosco nessuno... A Marsilly parteciperebbero tutti ai funerali, per curiosità... Chissà se le sarebbe piaciuto tornare a Marsilly... Senta, se non ha più bisogno di me, vado a cercarmi una camera d'albergo e a farmi un bel bagno, ne ho proprio bisogno... Ci penserò su, e domani mattina...».

«Allora l'aspetto domani mattina...».

Al momento di andarsene, dopo aver stretto la mano a Lecœur, si voltò un attimo verso Maigret, come a chiedersi che ci facesse là, silenzioso, in un angolo, e allora aggrottò impercettibilmente la fronte.

L'aveva riconosciuto?

«A domani... Lei è stato molto gentile...».

La videro salire in macchina e chinarsi sul compagno per dirgli qualcosa; poi la macchina partì.

Nel salotto, i due uomini si guardarono, e Lecœur fu il primo a buttare là un quasi comico:

«Allora?».

Al che Maigret, tirando una boccata dalla pipa, rispose:

«Eh già! E allora?».

Non aveva voglia di discutere e non dimenticava l'appuntamento con la moglie vicino ai giocatori di bocce.

«A domani, vecchio mio...».

«A domani...».

All'uscita, l'agente di guardia gli rivolse il saluto militare, ma la cosa lo lasciò indifferente.

3

Maigret era seduto ancora una volta sulla poltrona verde, accanto alla finestra aperta. Il tempo era come era sempre stato dal giorno del loro arrivo, bello, con un sole caldo e generoso. Al mattino, dopo il passaggio degli automezzi comunali addetti al lavaggio delle strade, l'aria era fresca, mentre per il resto della giornata, se si voleva sfuggire alla calura, bisognava rifugiarsi all'ombra degli alberi presenti un po' ovunque, al parco, in riva all'Allier o ai lati dei numerosi viali.

Il commissario aveva mangiato i suoi tre croissant e bevuto mezza tazza di caffè, mentre la moglie, in bagno, faceva scorrere l'acqua nella vasca. Gli ospiti del piano di sopra dovevano essersi appena alzati, perché li si sentiva camminare.

Maigret sprofondava nelle sue nuove abitudini con una certa ironia. Dovunque fosse, stabiliva automaticamente un programma e lo rispettava come se gli fosse stato imposto.

Si sarebbe potuto dire che ogni sua inchiesta, a Parigi, aveva il suo ritmo, i suoi momenti di pausa in quei tali caffè o in quelle tali brasserie, i suoi odori, la sua luce.

A Vichy, più che in cura, Maigret si considerava in vacanza, e finanche la morte della signorina in lilla si inseriva in un contesto che era comunque di riposo, di inattività.

La sera prima, come tutte le altre sere, i Maigret erano andati a fare un giro nel parco, attraversato da alcune centinaia di persone che passavano dalla penombra alla luce dei lampioni tondi in vetro smerigliato. Era l'ora dei teatri, dei casinò, dei cinema. La gente usciva dagli alberghi, dalle pensioni o anche, dopo una cena a base di affettati, dalle camere ammobiliate, per avviarsi quasi di corsa verso il luogo dove aveva deciso di trascorrere la serata.

Erano in molti ad accontentarsi delle sedie di ferro giallo dalla linea romantica, e fra loro Maigret aveva cercato automaticamente quella figura eretta e dignitosa, il suo viso affilato, il mento alto, lo sguardo insieme nostalgico e duro.

Hélène Lange era morta e, in una camera d'albergo, probabilmente Francine stava discutendo con il suo amante sul posto in cui dare sepoltura alla sorella.

Da qualche parte, in città, c'era qualcuno che conosceva il mistero della casa degli «iris» e della donna solitaria che vi abitava: l'autore del delitto.

Chissà se, in quel momento, l'assassino passeggiava nel parco, o se invece si recava al cinema o a teatro...

I Maigret erano andati a dormire, e adesso se ne stavano lì, stesi fianco a fianco, in silenzio, senza parlarne, ma ciascuno dei due sapeva che l'altro ci stava pensando.

Il commissario si accese la pipa e sfogliò il giornale in cerca della pagina dedicata alla cronaca locale. La vista di una sua foto su due colonne – una foto che lui non conosceva, e che gli avevano scattato a sua insaputa mentre beveva uno dei suoi bicchieri d'acqua quotidiani – gli fece arricciare il naso. Accanto a lui si distingueva in parte la figura della moglie e dietro, più sfumate, due o tre facce anonime.

MAIGRET INDAGA?

«Per discrezione, avevamo sinora omesso di segnalare ai nostri lettori la presenza a Vichy di una celebrità, il commissario Maigret, il quale si trova qui non per dovere professionale ma per approfittare, come tanti altri illustri personaggi prima di lui, delle proprietà curative delle nostre acque.

«Chissà, però, se il commissario saprà resistere alla tentazione di occuparsi del misterioso caso di rue du Bourbonnais...

«Sembra, infatti, che Maigret sia stato visto nei pressi della casa del delitto e che abbia anche avuto dei contatti con il commissario Lecœur, il simpatico capo della Polizia giudiziaria di Clermont-Ferrand, a cui è affidata l'inchiesta.

«Saranno le cure ad avere la meglio o...».

Maigret, senza batter ciglio, mise da parte il giornale – a quel genere di chiacchiere aveva fatto il callo – e, dopo un'alzata di spalle, guardò distrattamente fuori.

Il mattino successivo, fino alle nove, si comportò esattamente come tutte le altre mattine e quando comparve la signora Maigret, in tailleur rosa, si diresse insieme a lei verso le scale, come al solito.

«Buongiorno, signori...» li salutò puntuale il proprietario.

Maigret aveva già individuato la presenza di due

tizi sul marciapiede, e il riflesso di un raggio di sole sull'obiettivo di una macchina fotografica.

«La stanno aspettando da più di un'ora... Non sono inviati della "Montagne", che parla di lei stamattina, ma della "Tribune" di Saint-Étienne...».

L'uomo con la macchina fotografica era uno spilungone rosso, l'altro un piccoletto moro con una spalla più alta dell'altra. Si precipitarono incontro a Maigret.

«Permette che le scattiamo una foto, una sola?».

A che scopo rifiutare? Il commissario rimase un istante immobile tra i due vasi che fiancheggiavano l'ingresso, mentre la moglie indietreggiava nella penombra.

«Alzi un po' la testa, per via del cappello...».

Era un secolo che non lo fotografavano con una paglietta, e solo a Meung-sur-Loire si metteva un vecchio cappello da giardiniere.

«Ancora una... Solo un momento... Grazie...».

«Scusi, Maigret, posso chiederle se si occupa davvero del caso?...».

«Come capo dell'anticrimine del Quai des Orfèvres, non spetta a me occuparmi di quello che succede fuori Parigi...».

«Però è un delitto che in qualche modo segue...».

«Come la maggior parte dei vostri lettori...».

«Sì, ma questo ha qualcosa di particolare, non crede?».

«Non capisco cosa vuol dire...».

«La vittima era una solitaria... Non frequentava nessuno... Non c'è movente...».

«Quando ne sapremo di più sul suo conto, con ogni probabilità scopriremo anche il movente...».

Aveva preferito non sbilanciarsi, pronunciando una frase di circostanza. Eppure, le sue parole nascondevano una grande verità. Maigret non era il solo a tentare con tutte le sue forze, e da tempo, di conoscere il carattere delle vittime. Anche per i criminologi è sempre la vittima l'elemento più importante dell'indagine, tanto che, in molti casi, arrivano perfino ad attribuirle una buona parte di responsabilità.

Che cosa c'era nella vita, nel comportamento di Hélène Lange, che la predestinava in qualche modo a una morte violenta? Maigret era rimasto subito colpito da lei, fin dalla prima sera, quando l'aveva notata sotto gli alberi del parco.

Certo, a pensarci bene, anche altri – i due ilari, per esempio – avevano attirato la sua attenzione.

«Il commissario Lecœur ha fatto parte della sua squadra?».

«Ha lavorato nella Polizia giudiziaria di Parigi».

«Lo ha visto?».

«Gli ho stretto la mano».

«Lo rivedrà?».

«È probabile».

«Discuterà del delitto con lui?».

«Forse. A meno che non preferiamo parlare del tempo e della luce particolare della vostra città...».

«Che ha di particolare?».

«Una certa vibrazione, una certa dolcezza...».

«Conta di ritornare a Vichy l'anno prossimo?».

«Dipenderà dal mio medico...».

«Grazie...».

Salirono tutti e due su una vecchia auto, mentre Maigret e la moglie facevano qualche passo sul marciapiede.

«Dove ti aspetto?».

Era sottinteso che lui si sarebbe recato in rue du Bourbonnais.

«Alla fonte?».

«Dove giocano a bocce...».

In altre parole, non contava di fermarsi a lungo con Lecœur. Lo trovò nel salottino, al telefono.

«Si accomodi, capo... Pronto!... Sì... È una fortuna che la portinaia sia sempre la stessa da anni... Sì... Non sa dove?... Prendeva la metropolitana?... Sì, alla stazione Saint-Georges... Non tolga la linea, signorina... Continua, vecchio mio...».

La telefonata durò ancora qualche minuto.

«Ti ringrazio. Ti farò avere una commissione rogatoria per regolarizzare la situazione... Dopo di che mi spedirai il tuo rapporto... Tua moglie?... Certo... I figli danno sempre delle preoccupazioni... Io ne so qualcosa, ho quattro maschi!...».

Riagganciò e si voltò verso Maigret.

«Era Julien, deve averlo conosciuto, ora è ispettore al IX arrondissement... Ieri gli ho chiesto di frugare tra gli incartamenti della sua zona... Ha trovato l'indirizzo esatto dove Hélène Lange ha abitato per quattro anni, in rue Notre-Dame-de-Lorette...».

«Dunque, dai ventotto ai trentadue anni...».

«Pressappoco... La portinaia è sempre la stessa... Pare che la signorina Lange fosse una ragazza tranquilla... Usciva di casa e rientrava sempre agli stessi orari, come se si recasse al lavoro... La sera usciva di rado, e solo, pare, per andare a teatro o al cinema...

«Il suo ufficio non doveva trovarsi nel quartiere, perché prendeva la metropolitana... Faceva la spesa di buonora e non aveva una donna di servizio... Verso le dodici e venti tornava per pranzare, e usciva di nuovo all'una e mezzo... Rientrava alle sei e mezzo...».

«Non riceveva nessuno?».

«Un uomo, uno solo, sempre lo stesso».

«La portinaia non sa come si chiama?».

«Non sa niente di lui. Veniva una o al massimo due volte a settimana, verso le otto e mezzo, e se ne andava sempre verso le dieci...».

«Che tipo era?».
«Una persona perbene, pare. Arrivava in macchina, ma la portinaia non ha mai pensato di segnarsi il numero di targa. Un macchinone nero, probabilmente americano...».
«Età?».
«Sulla quarantina... Piuttosto robusto. Molto curato, elegantissimo...».
«Pagava lui l'affitto?».
«Non ha mai messo piede in portineria...».
«Nel fine settimana andavano via insieme?».
«È accaduto una volta sola».
«Sono andati in vacanza?».
«No... In quel periodo Hélène Lange si prendeva solo un paio di settimane di vacanze, e le trascorreva quasi ogni anno a Étretat, dove le facevano recapitare la posta presso una pensione a conduzione familiare...».
«Riceveva molta posta?».
«Pochissima... Di tanto in tanto, una lettera della sorella... Aveva sottoscritto un abbonamento con una libreria dei dintorni e leggeva molto...».
«Posso fare il giro dell'appartamento?».
«È a casa sua, capo...».
Notò che la televisione non era nel salotto ma nella sala da pranzo, ammobiliata in stile provenzale, con molti oggetti di rame tirati a lucido. Sulla credenza, due fotografie di Hélène Lange: in una stava giocando al cerchio, nell'altra era in costume da bagno, davanti a una scogliera, a Étretat probabilmente. Aveva un fisico ben proporzionato, longilineo come il viso, ma che non dava un'idea di magrezza, di legnosità. Era una di quelle donne che da vestite si rischia di giudicare male.
La cucina era moderna, allegra, superaccessoriata, e aveva anche la lavastoviglie.

Facendo una specie di giro intorno al corridoio, ci si ritrovava in una stanza da bagno, anch'essa moderna, e infine nella camera da letto della defunta.

A Maigret venne quasi da ridere nel constatare che c'era un letto in ottone identico a quello della sua camera d'albergo, e quasi gli stessi mobili abbondantemente arabescati. La tappezzeria a righe alternava un rosa pallido a un azzurro leggermente violaceo e anche alla parete c'era una fotografia di Hélène Lange sui trent'anni.

L'espressione del viso era molto diversa dalle altre e il suo sorriso spontaneo, senza mistero, esprimeva gioia di vivere.

A giudicare dallo sfondo, era l'ingrandimento di un'istantanea scattata in un bosco. Nel suo sguardo, rivolto all'obiettivo, si coglieva una certa tenerezza.

«Sarei curioso di sapere chi c'era dietro la macchina fotografica» borbottò Maigret all'indirizzo di Lecœur, che l'aveva appena raggiunto.

«Strana donna, eh?».

«Immagino che si sia già occupato degli inquilini».

«Anch'io ho preso in considerazione l'ipotesi che il delitto possa essere stato commesso da uno di loro. La vedova, è escluso; del resto, nonostante la mole, non è abbastanza robusta per strangolare una persona così piena di forze come la signorina Lange... Fra l'altro, abbiamo controllato: la Vireveau ha effettivamente trascorso la serata al Carlton giocando a bridge fino alle undici e venti... E secondo il medico legale il delitto è stato commesso tra le dieci e le undici di sera...».

«In altre parole, quando la signora Vireveau è rientrata, Hélène Lange era già morta».

«È quasi certo».

«I Maleski hanno visto un filo di luce sotto la porta del salotto... Siccome più tardi le luci saranno spente, l'assassino era ancora sul posto...».

«È tutto il giorno che me lo ripeto... O è entrato insieme alla vittima e l'ha strangolata prima di frugare nei cassetti, oppure è stato sorpreso già dentro e l'ha soffocata...».

«L'uomo che la signora Vireveau sostiene di aver incontrato all'angolo della strada?».

«Ci stiamo lavorando... Il gestore di un bar stava abbassando la saracinesca e ha visto verso la stessa ora un individuo corpulento che camminava a passo svelto... Dice che sembrava affannato...».

«Dov'era diretto?».

«Verso i Célestins...».

«Nessuna descrizione?».

«Non ci ha fatto granché caso... Si ricorda solo che era vestito di scuro e non portava il cappello... Non ci giurerebbe, ma gli pare di ricordare che fosse un po' pelato...».

«Lettere anonime?».

«Non ancora...».

Sarebbero arrivate. Nessun caso appena appena misterioso si conclude senza che la polizia riceva un certo numero di lettere anonime e di telefonate enigmatiche.

«Ha rivisto la sorella?».

«L'aspetto per sapere come procedere con il corpo...».

E, dopo una pausa, aggiunse:

«Le due sorelle non si somigliano per niente, vero?... Se una sembra essere stata riservata, introversa, quasi sprezzante verso il prossimo, l'altra invece è espansiva, prorompente... Eppure...».

Maigret sorrise guardando Lecœur: con il passare degli anni, aveva messo su un po' di pancia e, tra i baffi rossi, ne spuntava qualcuno bianco. I suoi occhi chiari erano ingenui, quasi infantili, e ciò nonostante Maigret lo ricordava come uno dei suoi migliori collaboratori.

«Perché sorride?».

«Perché a me è capitato di vederla da viva e, in base alle sue fotografie e a quello che le hanno raccontato sul suo conto, lei è arrivato alle mie stesse conclusioni...».

« Solo all'apparenza Hélène Lange poteva definirsi una sentimentale, una romantica, perché non lo era affatto, vero?».

«Credo che recitasse una parte, forse per se stessa, ma non poteva impedire al suo sguardo di essere duro e risoluto...».

«Come la sorella...».

«Francine Lange fa l'emancipata, quella che non ha paura di niente, che se ne infischia di tutto e di tutti... Sono convinto che a La Rochelle abbia la sua fama, sul suo conto se ne diranno di cotte e di crude...».

«Il che non le impedisce, di tanto in tanto...».

Nessuno dei due aveva bisogno di finire le frasi.

«È una che sa far bene i suoi conti!».

«E sa bene ciò che vuole, a dispetto di tutti i gigolò di questo mondo... Dopo i modesti esordi in un negozietto di Marsilly, ecco che a quarant'anni si ritrova proprietaria di uno dei più importanti saloni di parrucchiere di La Rochelle... Conosco la città, place d'Armes...».

Maigret tirò fuori dalla tasca l'orologio.

«Mia moglie mi sta aspettando...».

«Alla fonte?».

«Prima vado al campo di bocce, giusto per rinfrescarmi un po' le idee. Un tempo, a Porquerolles, mi ci sono cimentato anch'io... Se quei signori insistessero un po'...».

Si allontanò caricandosi un'altra pipa e, siccome la temperatura nel frattempo si era alzata, fu con enorme sollievo che raggiunse l'ombra degli alberi.

«Novità?» gli chiese la moglie.

«Niente di interessante...».

«Si sa qualcosa della sua vita a Parigi?».

Lei lo osservava per capire se fosse il caso di non fargli più domande, ma si sentiva incoraggiata dal suo umore allegro.

«Niente di preciso... Solo che ha avuto almeno un amante...».

«Si direbbe che la cosa ti faccia piacere...».

«Può darsi... Perché vuol dire che, almeno in un certo periodo della sua vita, è stata felice... Che non è sempre stata chiusa in se stessa, a rimuginare su Dio sa quali idee o sogni...».

«Che si sa di lui?».

«Quasi niente, solo che andava a trovarla una o al massimo due volte a settimana, arrivava a bordo di una grossa macchina nera e restava lì fino alle dieci di sera, ma non passava mai le vacanze né i fine settimana con lei...».

«Un uomo sposato...».

«Probabile... Sulla quarantina... Dieci anni più di lei...».

«Gli abitanti di rue du Bourbonnais non l'hanno mai visto?».

«Tanto per cominciare, non ha più quarant'anni, adesso... Si avvicina ai sessanta, se non li ha già superati...».

«Tu credi che...».

«Io non credo niente... Mi piacerebbe proprio sapere qual era la sua vita a Nizza, se per lei quello è stato un periodo di transizione o se si comportava da vecchia zitella come qui a Vichy... Attenta... Ora tira al pallino...».

Era il turno del giocatore monco che, dopo essersi concentrato, lanciò la sua boccia mandando il pallino di legno nel prato.

«Li invidio» mormorò Maigret suo malgrado.

«Perché?».

Guardò sua moglie e la trovò ringiovanita: la pelle del viso, grazie a un gioco di luci e di ombre, sembrava più liscia e le brillavano gli occhi. Lui si sentì di nuovo in vacanza.

«Non hai notato il loro atteggiamento, l'aria di importanza, l'espressione di intensa soddisfazione quando fanno un bel tiro?... Noi, quando chiudiamo un'inchiesta...».

Non terminò la frase, ma la sua smorfia era eloquente. Loro mandavano un uomo a fare i conti con la giustizia... La prigione, a volte la morte...

Tornò in sé, e dopo aver vuotato la pipa esclamò:

«Facciamo due passi?».

In fondo, erano lì per quello, no?

I collaboratori di Lecœur avevano interrogato tutti i vicini. Non solo nessuno aveva visto né sentito alcunché la sera del delitto, ma erano tutti concordi nell'affermare che Hélène Lange non aveva né amici né amiche, e che non riceveva mai visite.

«A volte parte, con una valigetta, e le persiane rimangono chiuse per due o tre giorni».

Non portava mai bagagli più grossi. Non aveva la macchina e non chiamava il taxi.

Non succedeva mai neanche di incontrarla per strada in compagnia di qualcuno, uomo o donna che fosse.

La mattina faceva i suoi acquisti nelle botteghe del quartiere. Non si dimostrava particolarmente avara, ma dava il giusto valore al denaro e, il sabato, andava a fare la spesa al mercato, sempre con un cappello bianco d'estate, nero d'inverno.

I suoi attuali inquilini erano tutti fuori causa. La signora Vireveau aveva affittato una camera dietro consiglio di un'amica di Montmartre che aveva alloggiato diverse stagioni di seguito in casa della signorina Lange. Pur essendo una donna che non passava inosservata, per via della mole e dei gioielli falsi, non era certo il tipo da assassinare qualcuno, soprattutto senza motivo. Il marito era stato fioraio e lei gli aveva dato una mano in negozio, in boulevard des Batignolles, poi, quando l'uomo era morto, si era ritirata in un appartamentino di rue Lamarck.

«Non avevo nulla da rimproverarle,» diceva di Hélène Lange «se non che era poco di compagnia».

I Maleski andavano a curarsi a Vichy da quattro anni. Il primo anno erano scesi in albergo e, durante una passeggiata, avevano notato un cartello con l'annuncio di una camera in affitto in rue du Bourbonnais. Si erano informati sul prezzo e avevano prenotato per l'estate successiva. Era già il loro terzo anno in quella casa.

Il signor Maleski soffriva di una insufficienza epatica che lo costringeva a star sempre riguardato e a seguire una dieta ferrea. A quarantadue anni era già un uomo spento, dal sorriso triste, anche se, in base alle testimonianze raccolte telefonicamente a Grenoble, sul lavoro era una persona validissima e molto scrupolosa.

Sia lui che la moglie avevano capito, fin dal primo anno, che la signorina Lange non aveva alcuna intenzione di entrare in confidenza con i suoi affittuari. Nella casa al pianterreno avevano messo piede sì e no un paio di volte, e sempre e solo in salotto, mai nelle altre stanze. Né era mai capitato che lei li invitasse per un caffè o un liquorino.

La sera, quando pioveva, sentivano la televisione accesa al piano di sotto, ma non fino a tardi.

Maigret aveva questi particolari in testa mentre, come tutti i pomeriggi, lui sonnecchiava sul letto e la moglie leggeva accanto alla finestra. Attraverso le palpebre, indovinava la penombra dorata e le fessure delle persiane disegnate sulla parete dai raggi del sole.

I suoi pensieri giravano a vuoto, informi, quando all'improvviso si domandò, come se quella fosse *la* domanda:

«Perché quella sera?».

Perché non l'avevano assassinata il giorno prima, o il giorno dopo, o un mese o due prima?

Poteva sembrare una domanda assurda, eppure, in quello stato di sonnolenza, Maigret la ritenne fondamentale.

Da dieci anni, da dieci lunghi anni, Hélène Lange viveva da sola in quella tranquilla strada di Vichy. Non andava a trovarla nessuno. Apparentemente, nemmeno lei andava a far visita a chicchessia, se non, forse, nel corso dei suoi brevi viaggi mensili.

I vicini la vedevano entrare e uscire. La si poteva vedere anche seduta su una sedia gialla del parco, intenta a bere il suo bicchiere d'acqua, o la sera, mentre ascoltava il concerto davanti al chiosco.

Se Maigret fosse andato a interrogare i negozianti, probabilmente li avrebbe sbalorditi con le sue domande.

«Le capitava di dire qualcosa così, tanto per dire?... Si chinava qualche volta ad accarezzare il suo cane?... Quando era in coda, parlava con le altre massaie in attesa come lei? E salutava quelle che incontrava quasi ogni giorno alla stessa ora?...».

E infine:

«L'ha mai vista ridere?... O anche solo sorridere?...».

Bisognava tornare indietro di oltre quindici anni per risalire a un suo contatto personale con un altro essere umano: l'uomo che veniva una o due volte a settimana nel suo appartamento di rue Notre-Dame-de-Lorette.

Si può vivere tanti anni senza lasciarsi andare, neanche una volta, a delle confidenze, senza mai provare il bisogno di esprimere ad alta voce ciò che si prova?

Era stata strangolata.

«Ma perché proprio quella sera?».

Nel dormiveglia, per Maigret era quella la domanda principale e, quando la moglie gli annunciò che erano le tre, stava ancora cercando una risposta.

«Hai dormito?».

«Sì e no...».

«Usciamo insieme?».

«Certo che usciamo insieme. Non lo facciamo tutti i giorni? Perché me lo chiedi?».

«Magari hai un appuntamento con Lecœur».

«Non ho nessun appuntamento...».

E, per dimostrarglielo, fecero il giro «lungo», cominciando dal parco dei bambini, proseguendo lungo i campi da bocce, la spiaggia, poi oltre il ponte di Bellerive, e infine per il viale, fino allo Yacht Club, dove si fermarono a osservare le acrobazie degli appassionati di sci nautico.

Arrivarono anche più lontano, verso le case nuove a dodici piani che si ergevano tutte bianche sullo sfondo del cielo, formando una seconda città ai margini della prima.

Sull'altra sponda dell'Allier, dietro gli steccati bianchi dell'ippodromo, si intravedevano dei cavalli al galoppo, mentre sulle tribune si riuscivano a distinguere alcune file di teste e di spalle, e sul prato delle figure scure e delle figure chiare.

«La proprietaria dell'albergo mi ha detto che sono sempre di più i pensionati che decidono di stabilirsi a Vichy...».

Maigret rispose in tono ironico:

«Stai preparando il terreno?».

«Noi abbiamo la nostra casa di Meung...».

Si ritrovarono in strade dall'aspetto vetusto. Ogni quartiere aveva la sua età, il suo stile, il suo genere di case, da cui si indovinava il tipo di persone che le aveva costruite.

Maigret si divertiva a fermarsi a leggere i menu davanti ai ristorantini presenti a ogni angolo e gli annunci disseminati un po' ovunque.

«Affittasi camera... Camera con cucina... Bella camera ammobiliata...».

Questo spiegava il gran numero di ristoranti e le decine di migliaia di persone che affollavano le strade e i viali.

Alle cinque, sentendosi le gambe stanche, i Maigret si sedettero vicino alla fonte e si guardarono con un sorriso complice. Non è che avevano esagerato un po'? Volevano per caso dimostrare a se stessi di essere ancora giovani?

Tra la folla riconobbero la coppia degli ilari, ma nello sguardo che l'uomo rivolse a Maigret c'era qualcosa di diverso. Infatti, invece di proseguire, stavolta si diresse dritto verso di lui tendendogli la mano.

A Maigret non restò altro da fare che stringergliela.

«Non mi riconosce?» domandò al commissario.

«Sono convinto di averla già vista, ma non riesco a ricordare...».

«Bébert, non le dice niente?».

Maigret, nel corso della sua carriera, ne aveva conosciuti tanti di Bébert, di Petit Louis e di Grand Jules.

«La metropolitana...» aggiunse l'ometto, più ilare che mai, prima di voltarsi verso la moglie come per invitarla a dargli manforte.

«Mi ha arrestato la prima volta in boulevard des Capucines... C'era una parata, un capo di Stato – il nome però, l'ho dimenticato – che sfilava tra le guardie municipali a cavallo... La seconda volta, all'uscita della metropolitana a Bastille... Mi stava seguendo da un bel po'... Ne è passato di tempo... Io ero giovane... E lei pure, con tutto il rispetto...».

Maigret si ricordò della storia della metropolitana perché, nell'attraversare di corsa place de la Bastille, aveva perso il cappello, una paglietta come se ne usavano all'epoca. To', allora i cappelli di quel tipo li aveva già portati!

«Con quanto se l'è cavata?».

«Due anni... Ho capito... Ho messo la testa a posto... Ho iniziato a lavorare da un rigattiere, dove rabberciavo un mucchio di anticaglie, perché sono sempre stato bravo con i lavori manuali...».

Una strizzatina d'occhio lasciò intendere quanto gli fosse stata utile quell'abilità quando viveva di borseggio.

«Poi ho incontrato la signora qui presente...».

Pronunciò la parola «signora» con enfasi, e non senza una certa fierezza.

«Non aveva mai avuto guai con la legge né aveva mai battuto il marciapiede. Era appena arrivata dalla Bretagna e lavorava in una latteria... Con lei è stata una cosa seria fin dall'inizio, e poco dopo siamo andati in municipio... Lei poi ha voluto che andassimo anche al suo paese per sposarci in chiesa, ed è stato un matrimonio come si deve, con l'abito bianco e tutto il resto...».

Era il ritratto della felicità.

«Ero sicuro di averla riconosciuta, commissario... La vedevo ogni giorno, ma non osavo... Stamattina, quando ho aperto il giornale e ho visto la sua foto...

«Niente di grave, spero!» aggiunse indicando gli astucci con i bicchieri.

«Sto benissimo...».

«Anch'io... Me lo dicono tutti i dottori... Però mi hanno mandato qui perché certe volte mi prendono dei dolori alle ginocchia... Idroterapia, massaggi sotto l'acqua, raggi, non mi faccio mancare niente... E lei?...».

«Qualche bicchiere d'acqua...».

«Allora è una sciocchezza... Ma non voglio trattenere oltre né lei né la sua signora... Lei era stato molto corretto con me, all'epoca. Bei tempi, vero?... Arrivederci, commissario. Saluta, mogliettina mia...».

Mentre la coppia si allontanava, Maigret sorrise della fierezza e del destino dell'ex borseggiatore. Poi la moglie lo vide rabbuiarsi in volto, accigliarsi.

«Credo di aver capito perché...» disse alla fine il commissario tirando un sospiro di sollievo.

«Perché quella donna è stata assassinata?».

«No... Perché proprio quel giorno... E non un mese o un anno prima...».

«Che vuoi dire?».

«Da quando siamo qui, incontriamo sempre le stesse persone due o tre volte al giorno, tanto che dopo un po' i loro volti finiscono per diventarci familiari... Soltanto oggi, dopo aver visto la fotografia sul giornale, quel tipo curioso è stato sicuro di riconoscermi e si è avvicinato...

«Ora, questa è la nostra prima cura, l'unica probabilmente... Ma se tornassimo anche l'anno prossimo, ritroveremmo un certo numero di habitué...

«Qualcuno, proprio come noi, è venuto a Vichy

per la prima volta... Ha seguito la prassi – medico, visita, esami – e alla fine gli hanno dato il suo programma, con il nome delle fonti, il numero di centilitri da bere alla tale ora e alla tal altra...

«Lui ha incontrato Hélène Lange e ha avuto l'impressione di riconoscerla...

«Poi l'ha incontrata una seconda volta, e una terza... Forse le si è anche seduto vicino, l'altra sera, quando ascoltava la musica...».

La cosa sembrava così banale alla signora Maigret che si stupì di vedere il marito rallegrarsi di una scoperta che non poteva dirsi tale.

Il commissario si affrettò lui stesso a ironizzare:

«Secondo i volantini pubblicitari, ogni anno vengono qui a passare le acque circa duecentomila persone, distribuite nell'arco di sei mesi, il che fa più di trentamila al mese. Mettiamo che un terzo sia gente nuova, come noi, ci rimane una decina di migliaia di sospetti... No! Perché non bisogna calcolare le donne e i bambini... Quanti saranno le donne e i bambini, secondo te?...».

«Più donne che uomini... I bambini, invece...».

«Aspetta!... Dobbiamo tener conto anche di quelli che stanno su una sedia a rotelle, che camminano con le stampelle o col bastone... La maggior parte dei vecchi non sarebbe capace di strangolare una donna ancora nel pieno delle forze...».

La signora Maigret non capiva se facesse sul serio o se scherzasse.

«Ammettiamo che gli uomini in grado di strangolare una persona siano un migliaio... Dal momento che, in base alla testimonianza della signora Vireveau e del proprietario del bar, si tratta di un individuo alto e robusto, questo ci permette di scartare i bassi e i mingherlini... Ne rimangono cinquecento...».

La moglie fu sollevata nel sentirlo ridere.

«Di chi ti prendi gioco?» gli chiese.

«Della polizia. Del nostro mestiere. Fra poco annuncerò a Lecœur che gli restano solo cinquecento sospetti, sempre che non si riesca a scartarne altri, per esempio quelli che la sera del delitto erano a teatro, e lo possono provare, quelli che stavano giocando a bridge o a qualsiasi altra cosa... E dire che spesso, con questo sistema, si finisce per arrestare il colpevole!... Una volta Scotland Yard si è messa a interrogare tutti i duecentomila abitanti di un'intera città... Ci sono voluti mesi...».

«È servito?».

E Maigret, ignorando la domanda della moglie:

«In un'altra città, per caso, una sera in cui un tale era ubriaco e particolarmente loquace...».

Probabilmente non avrebbe più fatto in tempo a vedere Lecœur quel giorno, perché doveva bere ancora due bicchieri d'acqua, con un intervallo di mezzora fra l'uno e l'altro. Cercò di interessarsi al giornale della sera, che parlava soprattutto di celebrità in vacanza. Era davvero curioso. Anche quelli che si davano alla bella vita si facevano fotografare con i figli o i nipoti, e dichiaravano di dedicarsi a loro tutto il tempo...

Più tardi, quando faceva un po' più fresco, Maigret e la moglie girarono l'angolo di rue d'Auvergne. Davanti alla casa della signorina Lange era parcheggiato un camioncino.

Quando si avvicinarono, sentirono dei colpi di martello.

«Torno in albergo?» mormorò la signora Maigret.

«Ti raggiungo fra un momento...».

La porta del salotto era aperta e dentro c'erano

degli uomini in camice beige che applicavano dei paramenti neri alle pareti.

Spuntò Lecœur.

«Immaginavo che si sarebbe fatto vivo... Per di qua, prego...».

Andarono nella camera da letto, dove si poteva stare più tranquilli.

«La seppelliscono a Vichy?» chiese Maigret. «Lo ha deciso la sorella?».

«Sì... È venuta a trovarmi stamattina sul tardi...».

«Con il suo gigolò?».

«No. In taxi...».

«Quando ci sarà il funerale?».

«Dopodomani, per dare alla gente del quartiere la possibilità di rivolgerle l'ultimo saluto nella camera ardente...».

«Ci sarà una funzione?».

«Pare di no».

«La famiglia Lange non era cattolica?».

«I genitori sì... Le figlie sono state battezzate e hanno fatto la prima comunione... Poi...».

«A meno che lei non sia divorziata, per esempio...».

«Bisognerebbe prima provare che è stata sposata...».

Lecœur guardò Maigret lisciandosi la punta dei baffi rossi.

«Ovviamente, capo, lei non aveva mai incontrato nessuna delle due prima d'ora...».

«Mai...».

«Però è stato per un po' a La Rochelle...».

«Ci sono andato un paio di volte... Sarà stata una decina di giorni in tutto... Perché?».

«Perché la Francine Lange di stamattina era un'altra persona... Meno allegra... Non aveva più la parlantina sciolta... Per tutto il tempo ho avuto l'impressione che pensasse a qualcos'altro, o che fosse in dubbio se confidarmi o meno un segreto...

«A un certo punto, mi ha detto:

«"Quello che stava qui ieri è il commissario Maigret, vero?".

«Le ho chiesto se l'avesse già vista e lei mi ha risposto che l'aveva riconosciuta dalle foto sui giornali...».

«Tra le migliaia di persone che incrocio ogni giorno, ce ne sarà una trentina che ha reagito allo stesso modo... Poco fa, uno dei miei vecchi "clienti" è venuto da me a stringermi la mano e c'è mancato poco che mi desse pure una pacca sulla spalla...».

«Credo che la faccenda sia più complicata» disse Lecœur, come se stesse seguendo un pensiero ancora vago.

«Pensa che mi sia capitato di occuparmi di lei quando viveva a Parigi?».

«Non è impossibile, visto il tipo di vita che conduceva... No! Però quello che mi frulla per la testa è qualcosa di meno preciso, di più sottile... Per quella donna, io sono un poliziotto di provincia qualunque, uno che fa il suo mestiere come meglio può e pone le domande di rito... Una volta registrate le risposte, passo alla domanda successiva... Capisce cosa intendo?... Questo spiega perché, entrando qui, era così a suo agio, e ieri pomeriggio ha continuato a esserlo... Un paio di volte ha buttato l'occhio nell'angolo dov'era seduto lei, ma sono sicuro che non l'ha riconosciuta...

«Ha preso una camera all'Hôtel de la Gare... E lì, come nella maggior parte degli alberghi di Vichy, insieme alla colazione del mattino le hanno portato anche il giornale... Vedendo la sua foto, si sarà chiesta perché lei fosse presente al suo interrogatorio...».

«Cosa ne deduce?».

«Non si dimentichi la sua fama, l'idea che la gente si è fatta di lei...».

Lecœur arrossì, temendo che le sue parole venissero fraintese.

«Non solo la gente, comunque, perché noi del mestiere siamo i primi...».

«Lasciamo perdere...».

«È importante, invece... Francine Lange non poteva certo sapere che lei si trovava su quella poltrona per caso... E, se pure fosse stato un caso, il fatto che lei si occupasse del delitto...».

«Sembrava impaurita?».

«Non esattamente. Ma si comportava in maniera diversa, ecco, stava sulle sue. Le ho fatto solo domande di poco conto, ma ogni volta ci ha pensato su un bel po' prima di rispondermi...».

«Non ha trovato il notaio?».

«Ci ho pensato anch'io, e gliene ho parlato... Il suo amico ha messo giù una lista dei notai della città e ha telefonato a tutti... Pare che nessuno abbia avuto Hélène Lange fra i suoi clienti... Solo uno si è ricordato di aver redatto l'atto di vendita della casa dieci anni fa, quando lavorava come praticante presso lo studio che poi ha rilevato...».

«Ha il suo nome?».

«Dottor Rambaud...».

«Non vuole telefonargli?».

«A quest'ora?».

«In provincia solitamente i notai abitano nello stesso stabile in cui hanno lo studio...».

«Che cosa gli devo chiedere?».

«Se Hélène Lange ha pagato con un assegno o con un bonifico bancario...».

«Bisogna che dica a quegli uomini di smettere di picchiare col martello mentre telefono...».

Intanto Maigret si mise a gironzolare, in bagno, in cucina, senza pensare a niente di preciso.

«Allora?».

«Lei l'aveva capito?».

«Cosa?».

«Che ha pagato in contanti. Per Rambaud è stata l'unica volta, perciò se lo ricorda. Ne aveva una valigetta piena...».

«Ha fatto interrogare gli impiegati degli sportelli della stazione?».

«Perbacco! Non ci avevo pensato...».

«Sarei curioso di sapere se si recava ogni mese nello stesso posto o in posti diversi...».

«Spero di poterglielo dire domani... Buon appetito... E buona serata!...».

Era sera di musica al chiosco, e i Maigret avevano camminato abbastanza per sentirsi in diritto di rimanersene seduti ad ascoltare il concerto.

4

Maigret era in anticipo di dieci minuti, senza una ragione precisa. Forse perché quella mattina sulla «Tribune» non c'era granché da leggere. La moglie, che come al solito entrava in bagno dopo di lui, non era ancora uscita e Maigret, attraverso la porta socchiusa, le disse:

«Io scendo... Aspettami giù...».

Sul marciapiede c'era una panchina verde a disposizione dei clienti dell'albergo. Anche quel giorno il cielo era limpido e terso. Da quando erano a Vichy non aveva piovuto neanche una volta.

Il proprietario, ovviamente, lo aspettava ai piedi della scala.

«Allora, questo assassino?».

«Non è affar mio» rispose il commissario sorridendo.

«Crede che quelli di Clermont-Ferrand siano all'altezza? In una città come la nostra, non è mica bello avere uno strangolatore che si aggira per le strade. Pare che molte signore anziane se ne siano già andate...».

Maigret sorrise di nuovo, dirigendosi verso rue du Bourbonnais, e da lontano notò che sulla porta d'ingresso c'era un paramento nero con una grande «L» d'argento ricamata sopra. L'agente che di solito era di guardia sul marciapiede non si vedeva. Il giorno prima c'era? Maigret non si ricordava. Non ci aveva fatto caso. Insomma, non erano affari suoi. Lì lui non era il commissario, ma una persona qualsiasi venuta per le cure.

Stava per suonare il campanello, quando si accorse che la porta d'ingresso bianca era accostata. La spinse e vide una ragazza molto giovane, sui sedici anni, che passava uno straccio bagnato sulle piastrelle del corridoio.

Indossava un abito così corto che, quando si chinava, le si vedevano le mutandine rosa. Le gambe e le cosce erano grosse, sformate, come spesso succede nell'adolescenza. Erano le gambe di una bambola a buon mercato, di cui avevano anche il colore innaturale.

Quando si voltò, Maigret vide che aveva una faccia tonda e occhi inespressivi. Non gli chiese chi fosse né perché fosse venuto.

«È là...» si limitò a dire, indicando la porta del salotto.

La stanza era al buio, parata a lutto, con la bara posata su quello che doveva essere il tavolo della sala da pranzo. I due ceri non erano accesi, ma in una ciotola di vetro c'era l'acqua benedetta, con un rametto di bosso.

I mobili e gli oggetti del salotto erano stati accatastati in sala da pranzo: Maigret se ne accorse perché la porta era aperta. Come quella della cucina, del resto, in cui Maigret intravide Dicelle che stava leggendo un giornalino a fumetti davanti a una tazza di caffè.

«Vuole un po' di caffè anche lei? Ne ho preparato un bricco pieno».

... Sul fornello a gas di Hélène Lange, la quale probabilmente non avrebbe affatto gradito che si usasse così la sua cucina.

«Il commissario Lecœur non è ancora arrivato?».

«Lo hanno chiamato d'urgenza a Clermont-Ferrand, ieri sera tardi... C'è stata una rapina a mano armata alla cassa di risparmio e c'è scappato il morto, uno che era lì solo di passaggio, poveraccio. Ha visto la porta aperta in orario di chiusura e ha pensato bene di richiuderla proprio mentre i ladri stavano uscendo... Uno di loro ha sparato...».

«Niente di nuovo qui?».

«Non che io sappia...».

«Non si è occupato lei della stazione?».

«No, hanno dato l'incarico a un mio collega, Trigaud... Ne avrà ancora per un po'...».

«Quella ragazza che sta pulendo di là è già stata interrogata, vero? Che ha detto?».

«Con il cervello che si ritrova, è già tanto se riesce a spiccicare due parole in croce! Non sa niente. È stata assunta per la stagione, e doveva limitarsi a riassettare le camere degli inquilini. Il pianterreno non spettava a lei, perché la signorina Lange vi provvedeva di persona...».

«Non ha mai notato nessun visitatore?».

«Solamente l'impiegato del gas e qualche fattorino. Il suo orario di lavoro era dalle nove a mezzogiorno... I Maleski, di sopra, sono preoccupati... Hanno pagato fino alla fine del mese... Si chiedono se hanno il diritto di rimanere... In questo periodo non è facile trovare un'altra camera, e non hanno voglia di andare in albergo...».

«Che ha deciso il commissario?».

«Credo che li farà rimanere... Comunque, sono

qui... L'altra, la grassona, è appena uscita per andare a farsi un massaggio...».

«Francine Lange non è venuta?».

«La sto aspettando... Nessuno sa cosa succederà... Ci ha tenuto tanto a far allestire questa camera ardente, ma chissà se ci verrà qualcuno... Io ho istruzioni di rimanere qui e di osservare con discrezione i visitatori, ammesso che ce ne siano...».

«Quand'è così, buona giornata...» borbottò Maigret uscendo dalla cucina.

In sala da pranzo, da un tavolino rotondo che era stato spostato lì insieme agli altri mobili del salotto, prese istintivamente un libro rilegato in tela nera. Era *Lucien Leuwen*. La carta ingiallita aveva quell'odore particolare che hanno i libri provenienti dalle biblioteche municipali o dalle librerie che fanno abbonamenti per il prestito.

Un timbro violetto riportava il nome del libraio e il suo indirizzo.

Maigret rimise il libro sul tavolino e, un momento dopo, camminava tranquillamente sul marciapiede. Una donna con la vestaglia e i bigodini in testa lo fermò e gli chiese:

«Dica un po', signor commissario, è vero che si può andare?».

A sorprenderlo più di tutto fu la sua espressione, lì per lì difficile da decifrare.

«Credo proprio di sì, c'è una camera ardente e la porta è socchiusa...».

«Lei si vede?».

«Per quel che ne so io, la bara è chiusa...».

La donna sospirò:

«Meglio così... Fa meno impressione...».

Maigret trovò la moglie seduta sulla panchina verde, sorpresa di vederlo tornare così presto.

Si misero a camminare, come le altre mattine.

Erano in ritardo solo di qualche minuto rispetto al solito; non avevano mai stabilito un orario vero e proprio, ma entrambi vi si attenevano come se fosse una questione della massima importanza.

«C'è gente?».

«Nessuno. Si aspetta...».

Stavolta il loro giro iniziò all'ombra degli alberi del parco dei bambini, ancora quasi deserto. Alcune di quelle piante, così come lungo l'Allier, appartenevano a specie rare, dell'America, delle Indie, del Giappone, e recavano una targhetta di metallo con il nome scritto in latino e in francese. Molte erano state inviate da capi di Stato ora dimenticati, da maragià o da piccoli principi orientali come ringraziamento per i benefici avuti dal loro soggiorno a Vichy.

Si fermarono davanti ai campi di bocce solo per pochi istanti. La signora Maigret non chiedeva mai al marito che itinerario seguisse. Lui camminava con aria sicura, come se avesse una meta, ma il più delle volte, se sceglieva una strada piuttosto che un'altra, era per cambiare, per scoprire nuovi paesaggi, nuovi suoni.

Un po' prima dell'ora del bicchiere d'acqua imboccò rue Georges-Clemenceau, come se avesse delle commissioni da sbrigare, poi però svoltò a sinistra per un vicoletto, il passage du Théâtre, dove, davanti a una libreria, vi erano diverse scatole di libri d'occasione mentre altri dalle copertine più colorate riempivano un paio di espositori girevoli.

«Entra...» disse alla moglie, che esitava.

Il proprietario, intento a mettere ordine, indossava un lungo camice grigio. Parve riconoscere Maigret, ma non si mosse.

«Ha un minuto?».

«Sono a sua disposizione, commissario Maigret.

Immagino che voglia farmi qualche domanda sulla signorina Lange...».

«Era una sua cliente, vero?».

«Veniva almeno una volta alla settimana, più spesso due, per cambiare i suoi libri. Aveva un abbonamento che le consentiva di portarne via due alla volta...».

«La conosceva da molto?».

«Ho rilevato il negozio sei anni fa. Non sono di qui, sono di Parigi, di Montparnasse. Lei frequentava la libreria già all'epoca del mio predecessore...».

«Ha mai scambiato due chiacchiere con lei?».

«Sa, non era un tipo loquace...».

«Non le chiedeva consigli per la scelta dei libri da leggere?».

«Aveva le sue idee. Venga a vedere...».

Nel retro della libreria c'era una stanza ricoperta dal pavimento al soffitto di libri rilegati in tela nera.

«Passava spesso una mezzora, anche un'ora, a esaminare file di volumi, leggendo qualche riga qua e là...».

«La sua ultima lettura è stata *Lucien Leuwen*, di Stendhal».

«Stendhal era la sua scoperta più recente... Prima di lui ha letto tutto Chateaubriand, Alfred de Vigny, Jules Sandeau, Benjamin Constant, de Musset, George Sand... Sempre i romantici... Una volta ha portato via un Balzac, non so più quale, e me lo ha riportato il giorno dopo... Le ho chiesto se non le fosse piaciuto e lei ha risposto qualcosa come:

«"È troppo brutale..."».

«Brutale Balzac!...».

«Nessun autore contemporaneo?».

«Non ci ha mai nemmeno provato... In compenso, ha letto e riletto l'epistolario di George Sand e de Musset...».

«La ringrazio...».

Maigret era quasi sulla porta quando il librario lo richiamò.

«Mi stavo dimenticando di un particolare che forse la divertirà. Ogni tanto mi capitava di trovare dei libri sottolineati a matita, singole parole o intere frasi. O magari anche solo una croce a margine. La cosa mi ha meravigliato, e ho cominciato a chiedermi chi fra i miei clienti avesse quella mania. Alla fine ho scoperto che era lei...».

«Gliene ha parlato?».

«Bisognava pur farlo... Il mio commesso non poteva starsene tutto il giorno su quei libri con la gomma in mano...».

«E lei come ha reagito?».

«Mi è parsa risentita, e ha detto:

«"Le chiedo scusa... Quando leggo, dimentico che i libri non sono miei..."».

Gli uomini e le donne venuti a Vichy per passare le acque, i tronchi chiari dei platani, le macchie di sole – tutti erano al loro posto, così come le migliaia di sedie gialle.

Trovava Balzac troppo duro... Forse voleva dire troppo realista... Si concentrava soltanto sulla prima metà dell'Ottocento, ignorando fieramente Flaubert, Hugo, Zola, Maupassant... Eppure, il primo giorno, Maigret aveva notato, in un angolo del salotto, una pila di riviste...

Quasi suo malgrado, il commissario continuava a sforzarsi di aggiungere ogni giorno un nuovo tassello al ritratto della signorina Lange, una donna che leggeva solo romanzi sentimentali, romantici, benché il suo sguardo fosse, a volte, di una durezza più che reale.

«Hai visto Lecœur?».

«È stato chiamato a Clermont-Ferrand per una rapina...».

«Credi che riuscirà a scoprire chi è l'assassino?».

Maigret trasalì. Adesso toccava a lui ritornare con i piedi per terra. In quel momento, infatti, non pensava all'assassinio. Aveva quasi dimenticato che la proprietaria della casa con le persiane verdi era stata strangolata e che in primo luogo bisognava scovare il colpevole.

Eppure, in fondo, sempre di cercare qualcuno si trattava. Ci pensava più spesso di quanto avrebbe voluto, al punto da esserne ossessionato.

A intrigarlo, però, era l'uomo che, in un dato periodo, aveva trovato posto nella vita solitaria di Hélène Lange.

Di costui non c'era traccia in rue du Bourbonnais, non una fotografia, né una lettera o un bigliettino.

Niente di niente. Di lui come di nessun altro, a parte qualche fattura.

Bisognava risalire a dodici anni prima, a Parigi, a rue Notre-Dame-de-Lorette, per trovare un misterioso visitatore che, una volta o due a settimana, passava un'ora nell'appartamento di Hélène, all'epoca ancora una giovane donna.

Persino la sorella Francine, che allora abitava nella stessa città, sosteneva di non saperne niente.

Lì, a Vichy, Hélène Lange leggeva un libro dopo l'altro, guardava la televisione, faceva la spesa, le pulizie, passeggiava lungo i viali alberati del parco come una qualsiasi persona in cura, ma senza scambiare una parola con nessuno, e ascoltava la musica di fronte al chiosco guardando dritto davanti a sé.

Era sconcertante. Nel corso della sua carriera Maigret ne aveva conosciuti di tipi strambi, uomini e donne, ferocemente innamorati della propria libertà; e gli era capitato di incontrare anche dei maniaci, delle persone psicologicamente disturbate, che si isolavano totalmente dal resto del mondo, sotterrandosi nei luoghi più inverosimili, spesso i più sordidi.

Eppure, anche costoro avevano conservato un legame, uno qualsiasi, con la vita esterna. Se si trattava di donne anziane, questo legame poteva essere la panchina di un giardino pubblico, dove si ritrovavano con altre donne all'incirca della stessa età, o la chiesa, il confessionale, il parroco... Se si trattava di uomini anziani, a mantenerli ancorati alla realtà poteva essere un bistrot dove tutti li riconoscevano e li accoglievano in maniera affabile...

In quel caso, Maigret incontrava per la prima volta la solitudine allo stato puro.

Una solitudine che non aveva neanche i tratti dell'aggressività: la signorina Lange non si comportava in modo sgarbato con i vicini né con i fornitori. Non faceva la sdegnosa e, a parte un certo gusto un po' singolare nella scelta dei colori e dei modelli degli abiti, non si dava certo arie da gran dama.

Semplicemente, non si curava degli altri. Non ne sentiva il bisogno. Se aveva degli affittuari era perché disponeva di camere vuote e ne ricavava un guadagno. Tra le camere del piano di sopra e il pianterreno esisteva una vera e propria frontiera, che lei non oltrepassava neanche per le faccende domestiche, visto che aveva assunto una ragazzina dall'aria più o meno stupida apposta per questo.

«Permette, commissario?».

Davanti a Maigret comparve un'ombra, una lunga sagoma che teneva una sedia per lo schienale. Il commissario aveva visto quell'uomo in rue du Bourbonnais. Era un collaboratore di Lecœur, probabilmente Trigaud. Si sedette e Maigret gli chiese:

«Come ha saputo che mi avrebbe trovato qui?».
«Me l'ha detto Dicelle...».
«E Dicelle come...».
«Non c'è poliziotto, in città, che non la conosca almeno di vista, quindi, ovunque lei vada...».
«Ci sono novità?».
«Stanotte ho passato un'ora alla stazione, perché gli impiegati non sono gli stessi di quelli del giorno... E stamattina ci sono tornato... Poi, ho telefonato al commissario Lecœur, che ne avrà ancora per un po' a Clermont...».
«Oggi non verrà?».
«Non lo sa ancora. In ogni caso, arriverà domani di buonora per il funerale. Immagina che ci sarà anche lei...».
«Non ha visto Francine?».
«È passata in rue du Bourbonnais... Il feretro partirà da casa alle nove... Probabilmente è stata lei a mandare i fiori...».
«Quante corone?».
«Una sola...».
«Si accerti che sia stata lei... Scusi! Mi dimentico che la cosa non mi riguarda...».
«Il capo non la pensa così, visto che mi ha pregato di riferirle quel che ho saputo... Mi sa che a qualche collega della squadra, compreso il sottoscritto, toccherà farsi un viaggetto...».
«Andava lontano?».
Trigaud tirò fuori dalla tasca un mazzetto di fogli di carta, e alla fine trovò quello che cercava.
«Ovviamente gli impiegati non si ricordano di tutti i suoi spostamenti, ma i nomi di certe città li hanno colpiti... Per esempio, Strasburgo il mese successivo un viaggio a Brest... Hanno notato anche che le coincidenze non erano sempre facili, le capitava di dover cambiare treno due o tre volte... Car-

cassonne... Dieppe... Lione... Questa è già meno lontana... Del resto, è un'eccezione... Di solito erano viaggi più lunghi... Nancy, Montélimar...».

«Mai una città piccola? Un paesino?».

«Solo città piuttosto grandi... Certo, da lì poteva anche prendere la corriera per raggiungere altre località...».

«Neanche un biglietto per Parigi?».

«Nessuno...».

«La faccenda dei viaggi andava avanti da molto?».

«L'ultimo impiegato che ho interrogato lavora allo stesso sportello da nove anni e mi ha detto che, quando ha cominciato, lei era già una cliente regolare.

«Alla stazione la conoscevano tutti, anzi quasi la aspettavano. Addirittura capitava che gli impiegati scommettessero sulla città che avrebbe scelto».

«Aveva dei giorni fissi?».

«No, per l'appunto... A volte non la si vedeva per un mese e mezzo, soprattutto d'estate, durante l'alta stagione, probabilmente per via dei suoi locatari... Né i suoi spostamenti coincidevano con la fine del mese, o con una scadenza fissa...».

«Lecœur le ha detto che intenzioni ha?».

«Ha ordinato di preparare un certo numero di fotografie... Per prima cosa invierà degli uomini nelle città più vicine... Inoltre, oggi stesso, provvederà a farle avere alle polizie locali...».

«Non sa perché Lecœur mi ha fatto avvertire?».

«Non mi ha detto niente... Penserà che lei abbia una sua idea... Anch'io, del resto...».

Lo ritenevano sempre più sagace di quanto non fosse e, se protestava, gli altri erano convinti che si trattasse di uno stratagemma.

«È venuto qualcuno in rue du Bourbonnais?».

«Sì, dalle dieci in poi, a quanto mi ha riferito Dicelle... Una tipa in grembiule ha spinto la porta e ha messo dentro la testa, poi ha fatto qualche passo e, quando ha trovato la camera ardente, ha tirato fuori un rosario dalla tasca del grembiule e ha cominciato a bisbigliare... Poi si è fatta il segno della croce con l'acqua benedetta e se n'è andata...

«È stata lei a dare il via alla sfilata... Ha avvertito le vicine e queste si sono presentate, da sole o in coppia...».

«Uomini?».

«Pochi: il macellaio, un falegname che abita in fondo alla strada, gente del quartiere...».

Perché il delitto non poteva essere stato commesso da qualcuno del quartiere? Ci si affannava a cercare ovunque, per scovare le tracce lasciate dalla signorina in lilla durante i suoi soggiorni a Nizza e a Parigi, e in occasione dei suoi viaggi da un capo all'altro della Francia, ma nessuno pensava ai vicini, alle migliaia di persone che abitavano nel suo stesso quartiere.

Nessuno, nemmeno Maigret.

«Non ha qualche suggerimento da darmi?».

Trigaud non aveva certo pronunciato quella frase di sua iniziativa, doveva esser stato quel furbacchione di Lecœur a suggerirgliela. Visto che si aveva Maigret a disposizione, perché non approfittarne?

«Se solo gli impiegati agli sportelli riuscissero a ricordarsi di qualche data precisa, non molte, ne basterebbero due o tre...».

«Una ce l'ho già... L'11 giugno... L'impiegato non l'ha dimenticata perché si trattava di Reims, la città dove è nata la moglie, e fra l'altro, quel giorno, era anche il suo compleanno...».

«Se fossi in lei, andrei a controllare in banca se il 13 o il 14 è stato effettuato un versamento...».

«Capisco cos'ha in mente... Un ricatto, eh?».

«O una pensione...».

«Per quale motivo versare una pensione in giorni diversi e a intervalli irregolari?».

«Me lo domando anch'io...».

Trigaud guardò Maigret di traverso, convinto che gli nascondesse qualcosa o che lo stesse prendendo in giro.

«Preferirei occuparmi della rapina» borbottò poi. «Con i delinquenti si sa più o meno dove si va a parare... Mi scusi se l'ho disturbata... I miei ossequi, signora...».

Si alzò, imbarazzato, con il sole negli occhi, non sapendo come accomiatarsi...

«È troppo tardi per andare in banca... Ci passerò alle due... Poi, se serve, tornerò alla stazione...».

Anche Maigret, in tempi remoti, aveva fatto quel lavoro, e si era consumato le suole delle scarpe a furia di camminare ore e ore sul selciato bagnato o rovente, per interrogare un mucchio di persone diffidenti alle quali bisognava cavar fuori le parole di bocca.

«Andiamo a prendere il nostro bicchiere d'acqua...».

Mentre Trigaud, probabilmente, si sarebbe rinfrescato con un gran boccale di birra...

«Alla sorgente, verso le undici... Spero di esserci...».

Il suo tono di voce tradiva una punta di malumore. All'inizio la signora Maigret aveva temuto che a Vichy il marito – senza aver niente da fare per l'intera giornata e, oltretutto, solo in sua compagnia dalla mattina alla sera – si sarebbe annoiato. E la sua placida serenità dei primi giorni l'aveva rassicurata solo in parte, tanto che aveva finito col chiedersi quanto sarebbe durato quello stato d'animo.

Ora, da tre giorni, ogni volta che doveva rinunciare a una delle loro solite passeggiate, lui sembrava davvero infastidito.

Ma quel giorno c'era il funerale, e lui aveva promesso a Lecœur di essere presente. Il sole continuava a splendere e nelle strade si respirava il solito miscuglio di freschezza mattutina e umidità.

Rue du Bourbonnais presentava uno spettacolo insolito. Oltre agli abitanti della via, affacciati alle finestre con i gomiti appoggiati ai davanzali come se dovessero assistere al passaggio di un corteo, una folla di curiosi, più fitta nei pressi della casa della defunta, si era assiepata lungo i marciapiedi.

Il carro funebre era già arrivato. Dietro, erano parcheggiate una macchina scura, probabilmente messa a disposizione dall'impresa di pompe funebri, e un'altra che Maigret non conosceva.

Lecœur gli venne incontro.

«Ho dovuto lasciar perdere i miei malviventi» spiegò. «Di rapine ne capitano tutti i giorni. La gente ci ha fatto l'abitudine e non si scompone più di tanto. Invece, una donna strangolata in casa sua, in una città tranquilla come Vichy, senza un motivo apparente...».

Maigret riconobbe la zazzera rossa del fotografo della «Tribune». Ce n'erano altri due o tre che scattavano fotografie, e uno di loro fotografò due poliziotti mentre attraversavano la strada.

Insomma, non c'era niente da vedere, e i curiosi si guardavano l'un l'altro come a chiedersi che cosa ci facessero là.

«Ha messo degli uomini qui in giro?».

«Tre... Non vedo Dicelle, ma non dev'essere lontano... Ha pensato bene di farsi accompagnare dal garzone della salumeria, che conosce tutti e potrà indicargli chi non è del quartiere...».

Non c'era niente di triste, né di commovente. Tutti aspettavano, compreso Maigret.

«Lei va al cimitero?» domandò a Lecœur.

«Mi farebbe piacere se venisse con me, capo... Sono qui con la mia macchina privata, perché ho pensato che quella della polizia sarebbe stata di cattivo gusto...».

«Francine?».

«È arrivata qualche minuto fa con il suo gigolò... È dentro...».

«Non vedo la loro macchina...».

«Quelli dell'impresa funebre, che sanno come ci si comporta in queste occasioni, le avranno fatto capire che una decappottabile rossa sarebbe stata fuori luogo, a un funerale, non meno di un'auto della polizia... La macchina nera credo sia per loro...».

«Francine le ha detto qualcosa?».

«Mi ha rivolto un vago cenno di saluto arrivando... Sembrava nervosa, preoccupata... Prima di entrare in casa, ha osservato i curiosi intorno come se cercasse qualcuno...».

«Non vedo Dicelle...».

«Perché ha scovato una finestra da qualche parte e si è piazzato lì insieme al garzone della salumeria...».

Qualcuno usciva dalla casa, qualcun altro vi entrava per poi tornare quasi subito sui propri passi. Il conducente del carro prese posto sul sedile.

Come a un segnale convenuto, quattro uomini portarono fuori la bara, non senza qualche difficoltà, e la adagiarono sul retro del veicolo. Subito dopo, uno di loro rientrò in casa e ne venne fuori con una corona e un mazzo di fiori.

«I fiori sono da parte degli inquilini...».

Francine Lange aspettava sulla soglia, con un abito nero che non le si addiceva, acquistato per necessità il giorno prima in rue Georges-Clemenceau. Alle sue spalle, nella penombra del corridoio, si intuiva la presenza del suo compagno.

Il carro funebre avanzò di qualche metro. Francine e il suo amante salirono sulla macchina nera.

«Venga, capo...».

La gente, lungo i marciapiedi, assisteva immobile, solo i fotografi correvano al centro della carreggiata.

«Nessun altro?» chiese Maigret voltandosi.

«Non ci sono parenti, né amici...».

«Gli inquilini?».

«Maleski ha appuntamento con il medico alle dieci e la Vireveau ha il suo massaggio...».

Percorsero due o tre strade che il commissario conosceva per esserci capitato per caso. Mentre osservò le case, si caricò la pipa e, quando si ritrovò davanti alla stazione, si stupì che fosse così vicina.

Il cimitero era nei paraggi, oltre i binari. Era deserto. Il carro funebre arrivò alla fine del percorso carrabile.

Così, a proseguire su un vialetto di ghiaia, a parte gli addetti dell'impresa funebre, erano rimasti in quattro. A Lecœur e Maigret venne spontaneo avvicinarsi alla coppia. Il gigolò si era messo gli occhiali da sole.

«Riparte subito?» chiese Maigret alla giovane donna.

L'aveva detto tanto per dire, senza darvi troppa importanza, ma lei prese a guardarlo intensamente, come a voler scoprire che cosa si nascondesse dietro la sua domanda.

«Con ogni probabilità, mi fermerò ancora un paio di giorni per sistemare tutto...».

«Come la metterà con gli inquilini?».

«Lascerò che finiscano il mese. Non c'è alcun

motivo per mandarli via. Mi limiterò a chiudere le stanze del pianterreno...».

«Dopo metterà in vendita la casa?...».

Lei non ebbe il tempo di rispondere, perché uno degli uomini in nero le si avvicinò. Il feretro, trasportato su una barella, era arrivato fino a un vialetto più stretto, al margine del cimitero, dove era stata preparata una fossa.

Un fotografo – non lo spilungone dai capelli rossi, un altro – comparve Dio solo sa da dove e scattò alcune foto mentre la bara veniva calata nella tomba e poi quando, su indicazione del cerimoniere, Francine Lange vi gettò sopra una palata di terra.

A pochi metri di distanza, al di là di un muretto, cominciava un'area incolta piena di carcasse di automobili arrugginite e, un po' più avanti, si ergevano alcune case bianche.

Il carro funebre si allontanò. Poi se ne andò il fotografo. Lecœur lanciò un'occhiata a Maigret, che sembrava assente, immerso nei suoi pensieri. Ma a che cosa stava pensando esattamente? A La Rochelle, che gli piaceva molto, a rue Notre-Dame-de-Lorette, ai suoi esordi in polizia, quand'era vicecommissario del IX arrondissement, e ai giocatori di bocce...

Francine avanzò verso di loro, con in mano un fazzoletto appallottolato. Non le era servito per asciugarsi le lacrime, perché non aveva pianto. Non era più commossa dei becchini o di chi aveva scavato la fossa. Non c'era stato niente di commovente in quel funerale, più che altro un atto dovuto.

Se cincischiava il fazzoletto, era per darsi un contegno.

«Non so come si usi... Di solito, dopo i funerali, c'è un pranzo, no?... Ma sono sicura che voi non avete nessuna voglia di mangiare con noi...».

«I miei impegni...» mormorò Lecœur.

«Posso almeno offrirvi un bicchierino?».

Maigret fu sorpreso del cambiamento avvenuto in lei.

Anche lì, nel deserto del cimitero, dove non c'era più neppure il fotografo, lei continuava a guardarsi intorno come se avvertisse un pericolo.

«Non mancherà occasione per rivederci» rispose diplomaticamente Lecœur.

«Non ha scoperto ancora niente?».

Non fu lui che guardò ponendo questa domanda, ma il commissario Maigret, come se fosse da quest'ultimo che si aspettava qualcosa.

«L'inchiesta prosegue...».

Maigret si caricò la pipa con dei colpettini dell'indice, sforzandosi di capire. La vita di quella ragazza non era stata certamente facile e ciò l'aveva resa capace di affrontare senza scomporsi qualsiasi difficoltà. Non era la morte della sorella a turbarla, perché fin dal primo giorno si era mostrata piena di brio e di voglia di vivere.

«In questo caso, signori... Che dire? Arrivederci... E grazie di essere venuti...».

Se fosse rimasta un minuto di più, Maigret le avrebbe chiesto se qualcuno l'aveva minacciata. Invece si allontanò traballando sui tacchi alti, dei quali, insieme all'abito nero acquistato per la circostanza, si sarebbe sbarazzata con sollievo non appena chiusa la porta della camera d'albergo.

«Che ne pensa?» domandò Maigret al suo collega di Clermont.

«L'ha notato anche lei?... Mi piacerebbe proprio scambiare quattro chiacchiere con quella donna in un ufficio, ma dovrei trovare un motivo plausibile per convocarla. Oggi non è il caso... Dà l'idea di una persona impaurita...».

«Sembra anche a me...».

«Crede che qualcuno l'abbia minacciata? Come si comporterebbe al mio posto?».

«Che intende dire?».

«Noi non sappiamo perché la sorella sia stata strangolata... In fin dei conti, potremmo anche trovarci di fronte a un dramma familiare... Si può dire che non sappiamo niente di loro... Potrebbe anche trattarsi di una vicenda in cui sono coinvolte entrambe... Francine le ha detto che rimaneva a Vichy ancora per un paio di giorni, vero?... Non dispongo di molti uomini, ma la rapina dovrà aspettare... Tanto, quelli del mestiere prima o poi si finisce sempre per acciuffarli...».

Erano saliti in macchina e procedevano verso l'uscita del cimitero.

«La farò sorvegliare il più discretamente possibile, anche se in un albergo non è facile... Dove vuole che la lasci?».

«Nei dintorni del parco...».

«Già, lei è qui per passare le acque... Non so perché, ma non riesco proprio ad abituarmi all'idea...».

In un primo momento credette che sua moglie non fosse ancora arrivata, perché non la vide seduta sulla solita sedia. Erano talmente abituati a incontrarsi ogni giorno allo stesso posto che fu sorpreso di scorgerla su un'altra sedia, all'ombra di un altro albero.

La osservò un momento senza che lei se ne accorgesse. Non aveva l'aria spazientita. Vestita di chiaro, con le mani in grembo, se ne stava lì a guardare la gente passare e un lieve sorriso di contentezza le illuminava il viso.

«Eccoti!» esclamò lei.

Poi aggiunse:

«Le nostre sedie sono occupate... Li ho sentiti parlare, credo che siano olandesi... Spero solo di passaggio, che non si facciano trovare ogni giorno al nostro posto... Non pensavo che avresti finito così presto...».

«Il cimitero non è lontano...».

«C'era gente?».

«In strada... Dopo, eravamo solo in quattro...».

«Lei si è presentata con il suo amante? Andiamo a riempire il tuo bicchiere...».

Dovettero fare un po' di coda, poi Maigret comprò i giornali di Parigi: allo strangolatore di Vichy era dedicato soltanto qualche breve trafiletto. Solo un quotidiano, il giorno prima, aveva pubblicato un articolo con un titolo a caratteri cubitali. «Lo strangolatore di Vichy», e un po' più in basso la foto di Maigret.

Il commissario era curioso di sapere a che punto fossero le ricerche avviate in alcune delle città in cui la signora, anzi la signorina in lilla, si recava a intervalli irregolari.

Eppure non riusciva a concentrarsi. Ora leggeva distrattamente, ora alzava lo sguardo dal giornale per osservare le persone a spasso; ben presto i Maigret furono costretti a spostare indietro le sedie, perché il sole li aveva raggiunti.

Ecco che cosa aveva di buono il loro posto, adesso occupato dagli olandesi. Nell'orario in cui avevano l'abitudine di fermarsi nel parco, era all'ombra.

«Non vuoi un giornale?».

«No... È appena passata quella buffa coppia, lui ti ha fatto un gran saluto...».

Erano già scomparsi tra la folla.

«La sorella ha pianto?».

«No».

Francine continuava a preoccuparlo. Anche lui,

se fosse stato il titolare dell'inchiesta, avrebbe voluto interrogarla nella tranquillità del suo ufficio.

In quello scorcio di mattinata pensò a lei ancora parecchie volte. Tornarono a piedi all'Hôtel de la Bérézina, salirono in camera per darsi una rinfrescata e andarono a pranzo. Sui tavoli, tranne che sul loro, accanto alle bottiglie di vino già iniziate c'erano degli esili vasi con due o tre fiori.

«Abbiamo cotolette alla milanese o fegato di vitello al vino bianco...».

«Cotolette» sospirò Maigret. «Tanto me le portano al naturale, senza salse e senza condimenti. Be', io se non altro sono qui solo di passaggio. Rian, invece, ci sarà ancora l'anno prossimo e quelli successivi. È lui che conta...».

«Non ti senti meglio qui che a Parigi?».

«Solo perché non sto a Parigi. Del resto, non mi sono mai sentito veramente male. Pesantezza, vertigini, prima o poi capitano a tutti...».

«Però ti fidi di Pardon...».

«Devo...».

Non erano stati serviti antipasti né stuzzichini, solo delle fettuccine in bianco, ed erano appena arrivate in tavola le cotolette, quando vennero a dire a Maigret che lo volevano al telefono.

Il commissario si ritrovò in un salottino con una finestra che dava sulla strada.

«Pronto!... La disturbo?... Sta pranzando?...».

Aveva riconosciuto la voce di Lecœur e borbottò:

«Per quello che mangio!...».

«Ci sono novità... Avevo mandato uno dei miei uomini a sorvegliare l'Hôtel de la Gare... E lui, prima di appostarsi, ha pensato di farsi dire il numero della camera di Francine Lange... Il portiere l'ha guardato con aria stupita e gli ha detto che era partita...».

«Quando?».

«Mezzora dopo il funerale... Pare che lei e il suo uomo siano tornati in albergo e, prima di salire, lui abbia chiesto il conto... Devono aver preparato le valigie alla svelta, perché dieci minuti dopo telefonavano per farsi mandare il facchino...

«Hanno caricato tutto nella macchina rossa e sono filati via...».

Lecœur non aggiunse altro e, siccome anche Maigret taceva, ci fu un lungo silenzio.

«Che ne pensa, capo?...».

«Ha paura...».

«Certo, ma ce l'aveva già stamattina, era evidente... Eppure aveva detto che sarebbe rimasta a Vichy ancora un paio di giorni...».

«Forse perché lei non la trattenesse...».

«Con quale diritto avrei potuto, a meno di non avere qualcosa contro di lei?».

«Lei è un commissario e conosce la legge da cima a fondo, ma Francine no».

«Stasera, o al massimo domani mattina, sapremo se è tornata a La Rochelle...».

«È la cosa più probabile...».

«Già, lo penso anch'io, ma sono arrabbiato lo stesso... Avevo intenzione di rivederla e farmi una lunga chiacchierata con lei... È vero che forse in questo modo ne saprò di più... È libero alle due?...».

Era l'ora del riposino pomeridiano, e Maigret rispose piuttosto di malavoglia:

«Certo, non devo fare niente di particolare».

«Stamattina, quando non c'ero, qualcuno ha telefonato alla polizia locale e ha chiesto di me... Sono arrivato in questo momento... Alla fine ho accettato l'ufficio che mi hanno offerto in prestito... Si tratta di una ragazza, ha lasciato il suo nome... Madeleine Dubois... E indovini che lavoro fa?...».

Maigret non rispose.

«La centralinista all'Hôtel de la Gare, ha il turno di notte. Il mio collega di Vichy le ha risposto che sarei stato di sicuro in ufficio, in avenue Victoria, verso le dieci... Le ha chiesto se voleva lasciar detto qualcosa, di che si trattava, ma lei ha detto che preferiva parlarne direttamente con me... Sarà qui fra poco...».

«Ci sarò...».

Non fece il pisolino, ma in compenso scoprì la deliziosa villa bianca a torrette, piantata in mezzo al parco, adibita a sede della polizia di Vichy. Un agente lo guidò in fondo a un corridoio, al primo piano, dove a Lecœur era stato ceduto un ufficio quasi privo di mobili.

«Sono le due meno cinque...» sottolineò lui impaziente. «Spero non abbia cambiato idea... A proposito, devo trovare una terza sedia...».

Lo si sentì aprire delle porte, nel corridoio, finché non riuscì a trovare quello che cercava.

Alle due in punto l'agente di servizio bussò alla porta e annunciò:

«La signora Dubois...».

Si fece avanti una donna minuta ma dal passo sicuro, con i capelli neri e uno sguardo inquieto che si posava ora su Maigret ora su Lecœur.

«A chi devo rivolgermi?...».

Lecœur si presentò, senza accennare a Maigret, che si sedette in un angolo.

«Non so se quello che ho da dirle potrà interessarla... Sul momento non gli ho dato importanza... L'albergo è pieno... Ho avuto molto lavoro fino all'una del mattino, poi, come al solito, mi sono appisolata... Si tratta di una nostra cliente, la signora Lange...».

«Immagino si riferisca alla signorina Francine Lange...».

«Pensavo fosse sposata. So che la sorella è morta e che è stata seppellita stamattina... Ieri sera, verso le otto e mezzo, qualcuno ha chiesto di parlare con lei...».

«Un uomo?».

«Un uomo, sì, con una voce strana... Sono quasi sicura che soffrisse di asma, perché ho uno zio che ha la stessa malattia e parla allo stesso modo...».

«Non ha detto come si chiamava?».

«No».

«Non ha chiesto il numero della camera?».

«No... Ho suonato e non ha risposto nessuno... Allora gli ho detto che la persona che cercava non era in camera... Verso le nove ha telefonato un'altra volta, ma la 406 continuava a non rispondere...».

«La signorina Lange e il suo compagno occupavano la stessa stanza?».

«Sì... L'uomo ha chiamato una terza volta alle undici e, stavolta, la signorina Lange ha risposto... Le ho passato la comunicazione...».

Sembrava a disagio, e lanciò uno sguardo fugace verso Maigret come per rendersi conto dell'effetto che gli faceva. Doveva averlo riconosciuto anche lei.

«Ha ascoltato la conversazione?...» mormorò Lecœur in tono gentile.

«Mi dispiace... Non è mia abitudine... Noi centraliniste veniamo tacciate di ascoltare le conversazioni altrui, ma se la gente sapesse quanto sono noiose, la penserebbe diversamente... Forse l'ho fatto per via dell'assassinio della sorella... O per la strana voce dell'uomo...

«"Chi è all'apparecchio?" ha chiesto lei.

«"Lei è proprio la signorina Lange?".

«"Sì...".

«“È sola in camera?”.
«Lei ha esitato. Io ero quasi sicura che il suo compagno fosse lì.
«“Sì... E comunque che gliene importa?...”.
«“Ho un messaggio riservato da comunicarle... Mi ascolti bene... Se cade la linea, la richiamo tra mezzora...”.
«Respirava a fatica, con a tratti una specie di sibilo, come mio zio.
«“L’ascolto... Non mi ha ancora detto chi è lei...”.
«“Questo non ha importanza... È indispensabile che lei rimanga ancora qualche giorno a Vichy... È nel suo interesse... La contatterò di nuovo, non so ancora quando... Quello che le dirò potrà farle guadagnare un sacco di soldi... Mi ha capito bene?...”.
«Non ha aggiunto altro e ha riattaccato. Dopo qualche minuto, la 406 ha suonato...
«“Sono la signorina Lange... Ho appena ricevuto una telefonata. Può dirmi se veniva da Vichy o da fuori?”.
«“Da Vichy”.
«“La ringrazio”.
«Ecco... All’inizio ho pensato che la cosa non mi riguardasse. Poi, stamattina, non riuscendo ad addormentarmi, ho telefonato qui e ho chiesto di parlare con il titolare dell’inchiesta...».
Le sue mani tormentavano nervosamente la borsetta, e il suo sguardo andava avanti e indietro tra Lecœur e Maigret.
«Lei crede sia importante?».
«Non è ritornata in albergo?».
«Prendo servizio solo alle otto di sera...».
«La signorina Lange è partita».
«Non ha partecipato al funerale della sorella?».
«Ha lasciato Vichy quasi subito dopo».
«Ah!...».

Poi, dopo averci pensato su:

«Crede che quell'uomo volesse attirarla in un tranello, vero? Non sarà lo strangolatore, per caso?».

Impallidì all'idea di aver parlato al telefono con l'assassino della signorina in lilla.

Maigret non rimpiangeva più di aver rinunciato al suo pisolino.

5

Quando la centralinista se ne andò, i due commissari rimasero per un bel pezzo seduti al loro posto a fumare, Maigret la sua pipa, Lecœur una sigaretta che per poco non gli bruciò i baffi. Due fili di fumo si levavano al di sopra delle loro teste, mentre dal cortile arrivavano le voci di una dozzina di agenti che facevano ginnastica.

Entrambi rimasero a lungo in silenzio. Erano vecchie volpi e conoscevano i trucchi del mestiere. In tanti anni di carriera, avevano avuto a che fare con criminali e testimoni di ogni tipo.

«Ovviamente, è stato lui a telefonare...» sospirò infine Lecœur.

Maigret non rispose subito. Reagivano ciascuno a suo modo. Non si poteva parlare di metodo, una parola che né all'uno né all'altro andava a genio, ma di approccio, di maniera diversa di affrontare i problemi.

Così, da quando la signorina in lilla era stata strangolata, Maigret non si era preoccupato granché dell'assassino. Non lo faceva di proposito, ma a ossessionarlo era piuttosto l'immagine di quella donna sulla sedia gialla davanti al chiosco della musica, con il viso lungo e quel sorriso amabile che, a volte, la durezza dello sguardo smentiva.

Da quando era entrato per la prima volta nella casa di rue du Bourbonnais ed era venuto a conoscenza del suo soggiorno a Nizza, della vita che aveva fatto quand'era a Parigi – per quel poco che si sapeva – e di quali fossero i suoi scrittori preferiti, a quell'immagine si era aggiunto qualche piccolo dettaglio.

Lo strangolatore, invece, era solo una sagoma dai contorni indefiniti, un tizio corpulento con il quale la signora Vireveau diceva di essersi quasi scontrata all'angolo della strada e che il gestore di un bar aveva intravisto senza distinguerne le fattezze.

Adesso, un po' alla volta, cominciava a pensare a lui.

«Mi chiedo come abbia fatto a sapere che Francine Lange alloggiava all'Hôtel de la Gare...».

I giornali, pur avendo annunciato l'arrivo della sorella della vittima, non avevano fornito alcun recapito.

Maigret avanzava cauto, con i piedi di piombo.

«Potrebbe aver semplicemente telefonato a tutti gli alberghi chiedendo ogni volta di parlare con la signorina Lange...».

Lo immaginava davanti a un elenco telefonico. La lista degli alberghi doveva essere lunga. Aveva proceduto in ordine alfabetico?

«Perché non chiama un albergo il cui nome inizia per A o per B?...».

Lecœur alzò la cornetta con aria divertita.

«L'Hôtel d'Angleterre, per cortesia. No. Non la direzione, e neanche la reception. Vorrei parlare con il centralino... Pronto!... La centralinista dell'Hôtel d'Angleterre?... Qui è la Polizia giudiziaria... Qualcuno le ha per caso chiesto di essere messo in comunicazione con una certa signorina Lange?... No, non la vittima... La sorella, Francine Lange... Sì, lei... Domandi alla sua collega...».

Mentre aspettava, annunciò a Maigret:

«Di solito sono in due... L'albergo ha cinque o seicento camere... Pronto, sì... Ieri mattina?... Mi passi la sua collega, per piacere... Pronto!... Ha preso lei la chiamata?... C'è qualcosa che l'ha colpita?... Una voce rauca, dice?... Come se l'uomo... Sì... Capisco... Grazie...».

E, di nuovo rivolto a Maigret:

«Ieri mattina, verso le dieci... Una voce rauca, o piuttosto quella di un uomo che respiri a fatica...».

Qualcuno che passava le acque, Maigret l'aveva pensato fin dal primo giorno, e che aveva incontrato Hélène Lange per caso... Poi l'aveva seguita per scoprire dove abitava...

Squillò il telefono.

Era l'ispettore mandato a Lione. Non aveva trovato traccia della vittima negli alberghi della città, ma un'impiegata delle poste si ricordava di lei. Era venuta due volte, entrambe per ritirare al fermo posta una grossa busta imbottita. La prima volta la busta era in giacenza da una settimana. La seconda, era appena arrivata.

«Ha le date?».

Maigret, immerso nei suoi pensieri, continuava a fumare la pipa con voluttà mentre osservava il collega al lavoro.

«Pronto!... Il Crédit Lyonnais?... Ha compilato la lista dei versamenti che le ho chiesto?... No... La manderò a prendere tra poco... Intanto può dirmi se è stato fatto un versamento subito dopo il 13 gennaio dell'anno scorso e un altro dopo il 22 febbraio di quest'anno?... Aspetto, sì...».

Non ci volle molto.

«Un versamento di ottomila franchi il 15 gennaio... Un altro di cinquemila il 23 febbraio di quest'anno...».

«E i versamenti si aggirano in media sui cinquemila franchi, vero?» chiese Maigret.

«Più o meno... Tranne rare eccezioni... Ho la lista sotto mano... Per esempio, cinque anni fa, una somma di venticinquemila franchi accreditata sul suo conto... Ma è l'unica somma così elevata...».

«Sempre in contanti?...».

«Sempre...».

«A quanto ammonta il conto a tutt'oggi?».

«Quattrocentocinquantaduemilaseicentocinquanta...».

Lecœur ripeteva quelle cifre a Maigret.

«Era ricca...» mormorò. «Eppure durante l'alta stagione affittava camere ammobiliate».

Fu sorpreso nel sentire il commissario rispondergli:

«Lui è ricchissimo...».

«È vero... I soldi sembrano avere un'unica matrice: un uomo in grado di versare cinquemila franchi al mese e, all'occorrenza, anche di più...».

E quell'uomo doveva di sicuro ignorare che Hélène Lange era proprietaria di una casetta bianca con le persiane verde pallido nel quartiere Francia, a Vichy, perché ogni rimessa aveva un indirizzo diverso.

I versamenti non venivano effettuati in date prestabilite, e forse la signorina Lange aspettava qualche giorno prima di incassarli per essere sicura che l'ufficio postale prescelto non fosse sorvegliato.

Un uomo ricco, o comunque molto agiato... Quando aveva parlato al telefono con la sorella, non le aveva dato un appuntamento preciso... Le aveva solo detto di fermarsi a Vichy ancora qualche giorno e di aspettare la sua telefonata... Per quale motivo?...

«Dev'essere sposato... È qui con la moglie, forse anche con i figli... E non ha sempre libertà di movimento...».

Adesso toccava a Lecœur divertirsi a osservare il cervello di Maigret al lavoro. Ma il suo, in quel momento, più che un freddo ragionamento, era il tentativo di calarsi nei panni dell'assassino...

«In rue du Bourbonnais non ha trovato quello che cercava... E Hélène Lange non ha parlato... Se lo avesse fatto, forse sarebbe ancora viva... Ha voluto metterle paura per ottenere l'informazione di cui aveva bisogno...».

«Nonostante la moglie; quella sera, dunque, era libero...».

Maigret tacque, rimuginando sull'obiezione.

«Che cosa davano lunedì a teatro?».

Lecœur alzò la cornetta per informarsi.

«*Tosca*... C'era il tutto esaurito...».

Certo, non era proprio quel che si suol definire un ragionamento rigoroso. Anzi, non era neppure un ragionamento. Maigret cercava di immaginarsi l'uomo, una persona piuttosto importante, che alloggiava probabilmente in uno dei migliori alberghi di Vichy. Aveva moglie, amici...

Un paio di giorni prima del delitto aveva incontrato Hélène Lange e l'aveva seguita per scoprire dove abitasse.

La sera del delitto, al teatro del Grand Casino davano la *Tosca*. Le donne non sono forse più degli uomini appassionate d'opera?

«Perché non ci vai senza di me?... La cura mi stanca... Ne approfitterò per andare a letto presto...».

Quale informazione voleva ottenere da Hélène

Lange e perché lei si rifiutava ostinatamente di parlare?

Chissà se era entrato in casa prima di lei, forzando facilmente la serratura e frugando dappertutto prima del suo arrivo, o se l'aveva raggiunta non appena era rientrata e aveva commesso il delitto prima di mettere a soqquadro l'appartamento...

«Perché ha quel sorrisetto, capo?».

«Perché sto pensando a un particolare idiota... Prima di arrivare all'Hôtel de la Gare, se ha seguito l'ordine alfabetico, l'assassino ha dovuto fare una trentina di telefonate... Questo non le dice niente?».

Maigret si caricò un'altra pipa.

«Tutta la polizia lo sta cercando... Con ogni probabilità, la moglie alloggia in camera con lui... E lui deve ripetere un sacco di volte un nome che è lo stesso di quello della vittima...

«Negli alberghi, tutte le chiamate passano per il centralino... Inoltre, ed è un'ipotesi più che plausibile, in camera con lui c'è la moglie...

«Telefonare da un caffè, o da un bar, dove qualcuno può sentirlo, è pericoloso...

«Se fossi in lei, Lecœur, metterei degli uomini a sorvegliare le cabine pubbliche...».

«Ma ha già parlato con Francine Lange!...».

«Deve richiamarla...».

«Non sta più a Vichy...».

«Lui non lo sa...».

A Parigi Maigret, come la maggior parte dei mariti, vedeva la moglie tre volte al giorno, la mattina quando si svegliava, a mezzogiorno e la sera. Anzi, spesso gli capitava di non tornare neanche per pranzo.

Dunque, durante il resto della giornata, avrebbe potuto fare qualsiasi cosa a sua insaputa.

Ma a Vichy? Praticamente passavano insieme ventiquattr'ore su ventiquattro, e non erano certo i soli in quella situazione.

«Non può neanche trattenersi a lungo in una cabina telefonica...» sospirò Maigret.

Forse scendeva con il pretesto di andare a comprare le sigarette o a prendere una boccata d'aria mentre la moglie si vestiva. Un paio di telefonate... Se poi anche lei era in cura, e magari faceva l'idroterapia, aveva più tempo a disposizione...

Se lo immaginava, Maigret, quell'uomo, che approfittava di ogni occasione, procurandosela se necessario, e mentiva come un bambino alla madre.

Un uomo robusto, di una certa età, ricco, con una buona posizione, che era a Vichy per cercare di curarsi l'asma...

«Non la sorprende che la sorella sia partita?».

A Francine Lange i soldi piacevano. Dio solo sa cosa non aveva fatto per procurarseli, quando viveva a Parigi. Adesso era proprietaria di un negozio ben avviato e avrebbe ricevuto l'eredità della sorella.

Ma non era certo il tipo da disdegnare una grossa somma.

Di chi aveva paura? Della polizia? Poco probabile. A meno che non avesse deciso di andar via una volta per tutte, di fuggire all'estero.

E invece no! Era tornata a La Rochelle, dove la polizia avrebbe potuto interrogarla esattamente come a Vichy. Per il momento era ancora in viaggio, con il suo gigolò al volante, a bordo di quella decappottabile rossa che suscitava le occhiate invidiose di tanti giovani.

«Quella è gente a cui piace correre, quindi nel primo pomeriggio saranno già arrivati...».

«I giornali hanno detto che vive a La Rochelle?».

«No... Hanno solo annunciato il suo arrivo...».

«Aveva già paura stamattina, nella camera ardente e al cimitero...».

«Mi chiedo perché ogni tanto, di sfuggita, guardasse lei...».

«Credo di saperlo...».

Maigret sorrideva non senza imbarazzo.

«I giornalisti mi dipingono sempre come una specie di confessore... Sarà stata tentata di confidarsi con me, di chiedermi consiglio... Poi avrà pensato che il rischio era troppo grosso...».

Lecœur aggrottò la fronte.

«Non capisco...».

«L'uomo ha cercato di ottenere una informazione da Hélène Lange, una informazione talmente importante da fargli saltare i nervi... È raro che si strangoli qualcuno a sangue freddo... Si è recato in rue du Bourbonnais senza un'arma... Non aveva intenzione di uccidere... E se n'è andato a mani vuote...».

Pensando allo strangolamento, Maigret aggiunse:

«Se così posso dire...».

«L'assassino adesso pensa che quella informazione ce l'abbia la sorella?».

«Sicuramente... Altrimenti non si sarebbe dato tanta pena e non avrebbe corso tanti rischi per sapere in quale albergo era scesa... Non le avrebbe telefonato e non le avrebbe promesso come ricompensa una grossa somma...».

«E lei, lo sa che cosa vuole lui?».

«Può darsi...» mormorò Maigret guardando l'orologio.

«È probabile, no?... Lo dimostra il fatto che, per paura, se ne sia andata senza dire niente a nessuno...».

«Adesso devo andare da mia moglie...».

Stava per aggiungere:

«Come quell'altro!...».

Come quell'uomo corpulento, dalle spalle larghe, costretto a ricorrere a stratagemmi infantili per andare a telefonare da una cabina pubblica.

Forse, chissà, nel corso delle loro passeggiate quotidiane, i Maigret avevano incrociato più di una volta quella coppia. Addirittura poteva essere capitato di trovarsi gli uni accanto agli altri nel momento del bicchiere d'acqua, o che le loro sedie...

«Non si dimentichi delle cabine telefoniche...».

«Mi servirebbero tanti uomini quanti ne ha lei a disposizione a Parigi...».

«Non sono mai abbastanza... Quando telefonerà a La Rochelle?...».

«Verso le sei, prima di partire per Clermont-Ferrand, dove ho appuntamento con il giudice istruttore... Mi aspetta a casa sua... Questa storia non gli piace affatto, perché è in ottimi rapporti con il direttore dello stabilimento termale di Vichy, il quale ovviamente non gradisce questo genere di pubblicità... Se vuole essere presente...».

La signora Maigret lo stava aspettando su una panchina. Mai, nella loro vita, si erano seduti così tante volte sulle panchine o sulle sedie pubbliche. Il commissario era in ritardo, ma lei non gli rivolse alcun rimprovero, limitandosi a notare che aveva tutta un'altra espressione rispetto al mattino.

Lo conosceva bene quel viso, accigliato e pensoso allo stesso tempo.

«Dove andiamo?».

«Camminiamo...».

Come gli altri giorni. Come l'altra coppia. La donna non doveva sospettare niente. Passeggiava sottobraccio al marito non immaginando neanche lontanamente che lui, alla vista di ogni poliziotto in uniforme, si sentiva mancare.

Era un assassino. Non poteva scappare, perché

ciò avrebbe fatto di lui un indiziato. Doveva continuare a seguire, come i Maigret, le sue abitudini quotidiane.

Dove alloggiava? Magari in uno dei due o tre alberghi di lusso di Vichy. La cosa non riguardava Maigret, ma se fosse stato al posto di Lecœur...

«Lecœur è un bravissimo poliziotto...» mormorò.

Il che significava, tra sé e sé:

«Ci penserà sicuramente. Non ci sono poi tanti clienti in alberghi di quella categoria...».

Però avrebbe preferito andare a ficcare il naso di persona.

«Non dimenticare il tuo appuntamento con Rian...».

«È per oggi?».

«Domani alle quattro...».

Gli sarebbe toccato di nuovo spogliarsi, lasciarsi visitare, salire sulla bilancia, ascoltare il giovane medico biondo che disquisiva con la massima serietà sulla quantità di acqua che gli restava da bere. Chissà se gli avrebbe fatto cambiare fonte...

Pensò a Janvier, che doveva essersi trasferito nel suo ufficio, dal momento che anche Lucas era in vacanza. Lui aveva scelto la montagna, una località dalle parti di Chamonix.

Alcune piccole barche a vela, in fila indiana, procedevano lentamente controvento, virando, ora in un senso ora in un altro, una alla volta. Ogni tanto passava qualche coppia in pedalò e, ai piedi del muro che fiancheggiava l'Allier, a distanza di una cinquantina di metri l'uno dall'altro, c'era una sfilza di campetti per il minigolf.

Maigret si sorprese a voltarsi ogni volta che incrociavano un uomo di una certa età, di una certa mole.

Per lui, adesso, l'assassino di Hélène Lange aveva smesso di essere un'entità dai contorni incerti. Stava cominciando a prendere forma, ad acquisire una sua personalità.

Era lì, lungo uno di quei viali che i Maigret percorrevano con tanta costanza. Aveva pressappoco le loro stesse abitudini, vedeva gli stessi spettacoli, le barche a vela, i pedalò, le sedie gialle nel parco e la folla che sfilava con un ritmo monotono.

A torto o a ragione, Maigret l'immaginava con una donna al fianco, robusta come lui, che forse si lamentava di avere male ai piedi.

Cosa si dicevano camminando? Di che parlavano tutte quelle coppie tra le quali si aggiravano i Maigret?

Aveva ucciso Hélène Lange... Era un ricercato. Una parola, un gesto, un'imprudenza e lo avrebbero arrestato.

Un'esistenza stroncata. Il suo nome sulle prime pagine dei giornali. Gli amici sbalorditi, il suo patrimonio e quello dei familiari minacciato.

Una cella al posto di un appartamento confortevole...

Nel giro di pochi minuti, di pochi secondi, tutto poteva cambiare. Uno sconosciuto gli avrebbe toccato la spalla e lui, girandosi, si sarebbe trovato il distintivo di un poliziotto sotto il naso.

«È lei il signor...».

Il signor chi? Non aveva importanza. La sorpresa, l'indignazione della moglie...

«Ma è un errore, commissario!... Lo conosco bene... È mio marito... Glielo diranno tutti... Santo cielo, Jean, difenditi!...».

Jean o Pierre o Gaston...

Maigret arrivò a guardarsi intorno furtivo.

«Eppure continua...» disse Maigret ad alta voce.

«Continua cosa?».

«A cercare di sapere la verità...».

«Di che parli?».

«Lo sai di chi parlo... Ha telefonato a Francine Lange... Vuole incontrarla...».

«Non si farà acciuffare?».

«Se lei avesse avvertito in tempo Lecœur, si sarebbe potuto organizzare una trappola... È ancora possibile... Non conosce bene la sua voce... Lecœur ci ha sicuramente pensato... Basta mettere una donna più o meno dell'età di Francine nella camera 406... Quando lui telefonerà...».

Maigret si fermò nel bel mezzo del viale e borbottò con i pugni stretti, come se la cosa lo facesse arrabbiare:

«Che diavolo può cercare per accettare simili rischi?».

Rispose una voce maschile:

«Pronto!...».

«Vorrei parlare con la signorina Francine Lange...».

«Chi la desidera?».

«Il commissario Lecœur...».

«Un istante...».

Maigret era seduto di fronte a Lecœur, nell'ufficio spoglio, e teneva all'orecchio il secondo ricevitore.

«Pronto!... Non potrebbe richiamare domani mattina?...».

«No...».

«Tra mezzora?».

«Tra mezzora sarò in viaggio...».

«Siamo appena arrivati... Francine... Voglio dire la signorina Lange, è nella vasca da bagno...».

«Le dica di uscire...».

Lecœur strizzò l'occhio al collega di Parigi. Si udì ancora una volta la voce di Lucien Romanel.

«Un attimo e arriva... Il tempo di asciugarsi...».

«A quanto pare, non avete corso troppo – con la macchina, intendo...».

«Abbiamo avuto un guasto... C'è voluta quasi un'ora per trovare un pezzo di ricambio... Gliela passo!...».

«Pronto!...».

La sua voce sembrava più lontana di quella del gigolò.

«Signorina Lange?... Stamattina mi ha detto che si sarebbe trattenuta ancora un paio di giorni a Vichy...».

«Era quello che avevo intenzione di fare... Poi ho cambiato idea...».

«Posso chiederle il motivo?».

«Semplicemente perché ho cambiato idea, punto e basta. Ne ho il diritto, no?...».

«Così come io ho il diritto di chiedere una rogatoria e costringerla a parlare...».

«Che differenza fa se io sono a Vichy o a La Rochelle?».

«Per me, moltissima... Ora le ripeto la domanda: cos'è che le ha fatto cambiare idea?».

«Ho avuto paura...».

«Di cosa?».

«Lo sa bene... Stamattina avevo già paura, ma pensavo che non avrebbe osato...».

«Sia più chiara, per piacere. Paura di chi?».

«Dell'uomo che ha strangolato mia sorella... Mi sono detta che, se se l'è presa con lei, è capace di prendersela anche con me...».

«Per quale ragione?».

«Non lo so...».

«Lo conosce?».

«No...».

«Non ha la minima idea di chi possa essere?».

«No...».

«Eppure, a mezzogiorno, dopo avermi detto che si sarebbe fermata per un po' a Vichy, ha lasciato l'albergo in tutta fretta...».

«Avevo paura...».

«Lei mente... O meglio, lei ha un motivo particolare per aver paura...».

«Gliel'ho detto... Quell'uomo ha ucciso mia sorella... Poteva benissimo...».

«Per quale ragione?».

«Non lo so...».

«E non sa nemmeno perché sua sorella è stata uccisa?».

«Se l'avessi saputo, gliel'avrei detto...».

«In tal caso, perché non mi ha detto della telefonata?».

La immaginava, in accappatoio, con i capelli bagnati, nell'appartamento dove le valigie erano state appena aperte. A meno che l'apparecchio non avesse un secondo ricevitore, Romanel doveva essersi piazzato davanti a lei e le stava lanciando sguardi interrogativi.

«Quale telefonata?».

«Quella che ha ricevuto ieri sera in albergo...».

«Non capisco di cosa...».

«Devo ricordarle le frasi del suo interlocutore? Non le ha consigliato, per l'appunto, di rimanere ancora un paio di giorni a Vichy? Non le ha detto che si sarebbe messo di nuovo in contatto con lei e che, da quella situazione, avrebbe potuto ricavare un bel po' di soldi?...».

«Ho ascoltato appena...».

«Perché?...».

«Perché ho pensato a uno scherzo... Non è anche la sua impressione?».

«No».

Un no secco, seguito da un silenzio inquietante. All'altro capo del telefono c'era una donna confusa, che non sapeva più che pesci pigliare.

«Non sono mica della polizia, io... Le ripeto che mi è sembrato uno scherzo...».

«Le fanno spesso scherzi del genere?».

«No, non di quel genere...».

«È stata quella telefonata a spaventarla tanto da convincerla a lasciare Vichy il prima possibile, è così?...».

«Visto che non mi crede...».

«Le crederò quando sarà sincera...».

«Mi ha fatto impressione...».

«Cosa?».

«Sapere che quell'uomo era ancora in città... Tutte le donne devono aver paura all'idea che per le strade si aggiri uno strangolatore...».

«Eppure gli alberghi non si sono svuotati di colpo... Aveva già sentito quella voce?».

«Non mi pare...».

«Una voce molto particolare...».

«Non l'ho notato... Ero troppo sorpresa...».

«Poco fa lei parlava di uno stupido scherzo...».

«Sono stanca... Il pomeriggio dell'altro ieri ero ancora in vacanza alle Baleari... Da allora non ho quasi chiuso occhio...».

«Non è un buon motivo per mentire...».

«Non sono abituata agli interrogatori... A maggior ragione al telefono, e dopo esser stata tirata fuori a forza dalla vasca da bagno...».

«Se preferisce, tra un'ora un mio collega di La Rochelle verrà a casa sua in veste ufficiale, e tutto quello che lei dirà verrà debitamente messo a verbale...».

«Faccio del mio meglio per rispondere alle sue domande...».

Gli occhi di Maigret ridevano. Lecœur stava facendo un buon lavoro. Lui non si sarebbe comportato esattamente in quel modo, ma il risultato sarebbe stato lo stesso.

«Lei sapeva, ieri, che la polizia stava cercando l'assassino di sua sorella... Che ogni benché minimo indizio poteva risultare prezioso...».

«Sì, certo...».

«Ora, ci sono molte probabilità che il suo interlocutore invisibile sia proprio l'assassino... Ci avrà pensato... Anzi, ne sarà stata convinta, perché ha avuto paura... E lei non è il tipo di donna che si spaventa facilmente...».

«Forse ci avrò pensato, ma non ne ero proprio sicura...».

«Chiunque, al suo posto, ci avrebbe chiamato per informarci della telefonata... Perché lei non lo ha fatto?...».

«Lei dimentica che avevo appena perso mia sorella, la mia unica parente, e che oggi c'è stato il funerale...».

«Durante il quale lei non si è minimamente commossa...».

«E lei che ne sa?».

«Risponda alla mia domanda...».

«Perché forse lei mi avrebbe trattenuta...».

«A La Rochelle non aveva niente di urgente da sbrigare, visto che comunque in questi giorni avrebbe dovuto trovarsi ancora in vacanza alle Baleari...».

«L'atmosfera si era fatta insostenibile, mi sentivo soffocare... L'idea che quell'uomo...».

«Non sarà stata invece l'idea che, a seguito di

quella telefonata, noi avremmo potuto rivolgerle certe domande?».

«Avreste potuto servirvi di me come esca... Quando lui mi avrebbe richiamato per fissare un incontro, lei mi ci avrebbe mandata e...».

«E...?».

«Niente... Ho avuto paura...».

«Perché sua sorella è stata strangolata?».

«Come vuole che lo sappia?...».

«Qualcuno l'ha ritrovata dopo chissà quanti anni, l'ha seguita, è entrato in casa sua...».

«Credevo che lei lo avesse sorpreso mentre rubava...».

«Non faccia l'ingenua... Lui era andato da lei per farle una domanda, una domanda cruciale...».

«Quale?».

«È proprio quello che sto cercando di scoprire... Sua sorella aveva ereditato, signorina Lange...».

«Da chi?...».

«Lo domando a lei...».

«Abbiamo ereditato entrambe da mia madre... Che non era ricca... Una merceria a Marsilly e qualche migliaio di franchi su un libretto di risparmi...».

«Il suo amante era ricco?».

«Quale amante?...».

«Quello che, un paio di volte a settimana, andava a trovarla a Parigi, nel suo appartamento di rue Notre-Dame-de-Lorette...».

«Non ne so niente...».

«Non lo ha mai incontrato?».

«No...».

«Non tolga la linea, signorina... Probabilmente ne avremo ancora per un bel po'... Pronto!...».

«Sono qui...».

«Sua sorella era stenodattilografa... Lei era manicure...».

«Sono diventata visagista...».

«Come vuole... Due ragazzine di Marsilly i cui genitori non erano ricchi... Andate a Parigi tutt'e due... Non arrivate insieme, ma vi rimanete entrambe per diversi anni...».

«Che c'è di così straordinario?».

«Lei sostiene di non sapere niente della vita di sua sorella... Non è in grado neanche di dirmi dove lavorava...».

«Per prima cosa, c'era una bella differenza di età tra di noi... Poi, non siamo mai andate d'accordo, neanche da piccole...».

«Non ho finito... Ben presto, ecco che lei diventa, ancora giovane, proprietaria di un salone di acconciature a La Rochelle, che deve esserle costato parecchio...».

«Ho fatto un mutuo...».

«Su questo punto avremo modo di tornare più tardi... Quanto a sua sorella, in qualche modo scompare dalla circolazione... Prima va a Nizza, e ci resta per cinque anni... È mai andata a trovarla?...».

«No».

«Aveva il suo indirizzo?».

«Mi ha mandato tre o quattro cartoline...».

«In cinque anni?».

«Non avevamo niente da dirci...».

«E quando si è trasferita a Vichy?...».

«Non me ne ha parlato...».

«Non le ha scritto per comunicarle che ormai viveva qui, che aveva comprato casa?».

«L'ho saputo tramite amici comuni...».

«Quali amici?».

«Non mi ricordo... Persone che l'hanno incontrata a Vichy...».

«E che le hanno parlato?...».

«Può darsi... Lei mi fa confondere...».

Lecœur, soddisfatto, strizzò di nuovo l'occhio a Maigret, il quale, per ricaricare la pipa spenta senza lasciare il ricevitore, stava compiendo una vera e propria acrobazia.

«È andata al Crédit Lyonnais?...».

«Quale Crédit Lyonnais?...».

«Quello di Vichy...».

«No...».

«Non era curiosa di sapere quanti soldi avrebbe ereditato?».

«Sarà il mio notaio di qui a occuparsi della successione... Io non ci capisco niente...».

«Eppure lei è una donna d'affari... Non ha idea della somma che sua sorella teneva in banca?...».

Ci fu di nuovo un attimo di silenzio.

«L'ascolto...».

«Non posso risponderle...».

«Perché?».

«Perché non lo so...».

«La sorprenderebbe sapere che erano quasi cinquecentomila franchi?».

«È tanto...» disse lei con voce tranquilla.

«È tanto per una semplice dattilografa partita un bel giorno da Marsilly e che a Parigi ha lavorato soltanto per una decina d'anni...».

«Mia sorella non si è mai confidata con me...».

«Rifletta prima di rispondere, perché noi abbiamo i nostri metodi per controllare la veridicità delle sue dichiarazioni... Quando lei è andata ad abitare a La Rochelle, non è stata sua sorella a versare gli acconti per il negozio?...».

Ancora silenzio. E tacere al telefono fa più effetto che in presenza di un interlocutore, perché crea una specie di taglio netto, di frattura.

«Ha bisogno di riflettere?...».

«Mi ha prestato un po' di soldi...».

«Quanto?...».
«Dovrei chiederlo al mio notaio...».
«Sua sorella, allora, abitava a Nizza?...».
«È possibile... Sì...».
«Dunque eravate in contatto... Non si trattava solo di qualche cartolina ogni tanto... Con ogni probabilità, è anche andata a trovarla per informarla sui dettagli del suo progetto...».
«Ci sarò andata...».
«Un momento fa mi diceva il contrario...».
«Non mi raccapezzo più con tutte queste domande...».
«Eppure sono chiare. Non altrettanto le sue risposte...».
«Ha finito?».
«Non ancora... E le consiglio più caldamente che mai di non riattaccare, perché in tal caso sarei costretto a prendere provvedimenti alquanto spiacevoli... Stavolta voglio una risposta decisa, un sì o un no... Nell'atto di compravendita del negozio, figura il suo nome o quello di sua sorella?... In altre parole, è sua sorella la vera proprietaria?».
«No».
«È lei?».
«No».
«Chi è?».
«Tutt'e due».
«Dunque eravate socie, e lei vorrebbe farmi credere che non aveva alcun contatto con sua sorella...».
«Questi sono affari di famiglia che non riguardano nessuno...».
«A meno che ci sia di mezzo un delitto...».
«Non c'è alcun nesso tra le due cose...».
«Ne è sicura?».
«Presumo di sì...».

«Però lo presume così poco da lasciare Vichy in tutta fretta...».

«Ha altre domande?...».

Maigret fece segno di sì, prese una matita dalla scrivania e scrisse qualche parola su un blocchetto.

«Un istante... Resti in linea...».

«Ne avremo ancora per molto?».

«Ecco... Lei ha avuto un bambino, vero?...».

«Gliene ho parlato».

«Ha partorito a Parigi?».

«No...».

«Perché?».

Sul biglietto di Maigret, si leggeva solamente: «Dove ha partorito? Dove è stato registrato il bambino?».

Lecœur non tralasciava nessun dettaglio, forse per la presenza del suo illustre collega parigino.

«Non volevo che la cosa si sapesse...».

«Dov'è andata?».

«In Borgogna...».

«Dove esattamente?».

«Mesnil-le-Mont...».

«È un paese?».

«Una frazione...».

«C'è un medico?».

«All'epoca no».

«E lei, per partorire, ha scelto una frazione senza medico?».

«E secondo lei le nostre madri come ci hanno messo al mondo?».

«Lo ha scelto lei quel posto? C'era già stata?».

«No. Ho guardato su una carta stradale...».

«C'è andata da sola?».

«Mi domando come li interroga i colpevoli, se tortura così la gente che non ha fatto niente, e che, anzi...».

«Le ho chiesto se c'è andata da sola...».

«No».

«Così va meglio. Come vede, è più facile dire la verità che giocare d'astuzia. Chi l'ha accompagnata?».

«Mia sorella».

«Si riferisce a sua sorella Hélène, ovviamente...».

«Non ne ho altre».

«Era il periodo in cui vivevate entrambe a Parigi e vi incontravate solo per caso... Lei non sapeva neanche dove lavorasse sua sorella... Avrebbe potuto benissimo essere una mantenuta...».

«Non erano fatti miei...».

«Non vi volevate bene... Non avevate quasi nessun rapporto, ma sua sorella ha abbandonato di punto in bianco il suo lavoro per venire con lei in una frazione sperduta della Borgogna...».

Francine non trovò niente da dire.

«Per quanto tempo siete rimaste lì?».

«Un mese...».

«In albergo?».

«In una pensione...».

«È stata assistita da una levatrice?».

«Non sono sicura che fosse proprio una levatrice, ma aiutava tutte le donne incinte del paese...».

«Come si chiama?».

«All'epoca aveva più di sessantacinque anni... Sarà morta...».

«Non ricorda il suo nome?».

«La signora Radèche...».

«Ha registrato il bambino in municipio?».

«Certo...».

«Lei stessa?».

«Io ero a letto... Ci è andata mia sorella con il proprietario della pensione, che ha fatto da testimone...».

«Ha visto, in seguito, il registro dello stato civile?».

«Perché avrei dovuto?».

«Ha una copia dell'atto di nascita?».

«È passato così tanto tempo...».

«Dopo dove è andata?».

«Senta, non ne posso più... Se ci tiene tanto a interrogarmi per delle ore, venga qui...».

Imperturbabile, Lecœur continuò:

«Dove ha portato il bambino?».

«A Saint-André... Saint-André-du-Lavion, nei Vosgi...».

«In macchina?».

«Non ce l'avevo ancora...».

«Nemmeno sua sorella?».

«Lei non ha mai guidato...».

«Hélène è venuta con lei?».

«Sì!... Sì!... Sì!... E adesso pensi quello che vuole... Ne ho fin sopra i capelli, chiaro? Basta!... Basta!... Basta!...».

E riattaccò.

6

«A che pensi?».

La classica domanda di tutte le coppie, di tutti gli uomini e le donne che vivono insieme da anni, osservandosi l'un l'altro, e che, di fronte a un'espressione impenetrabile, non possono fare a meno di mormorare timidamente:

«A che pensi?».

La signora Maigret, in realtà, si azzardava a porre una simile domanda solo quando intuiva che il marito era di buonumore, come se esistesse una zona all'interno della quale lei non si sentiva autorizzata ad avventurarsi.

Alla lunga telefonata con La Rochelle era seguita la quiete del pranzo, nella bianca e riposante sala dell'albergo, con le sue piante verdi, le bottiglie di vino e i fiori sui tavoli.

Apparentemente, nessuno sembrava far caso ai Maigret, che tuttavia erano al centro di un'attenzione discreta, un misto di ammirazione e di affetto.

Era arrivato il momento della passeggiata serale.

Nel cielo, in lontananza, rimbombava ogni tanto il fragore di un tuono e l'aria, fino a quel momento immobile, era attraversata da improvvise raffiche di vento.

Maigret e la moglie avevano imboccato, quasi senza accorgersene, rue du Bourbonnais: a una delle finestre del primo piano, nella camera della pingue signora Vireveau, c'era la luce accesa. I Maleski erano usciti, per andare a passeggio o al cinema.

Il pianterreno era buio, silenzioso. I mobili erano tornati al loro posto. Hélène Lange era stata cancellata.

Un giorno, con ogni probabilità, il contenuto della casa, che un tempo aveva fatto da cornice a un'esistenza, sarebbe stato ammassato sul marciapiede e un banditore faceto avrebbe messo tutto all'asta.

Chissà se Francine si era portata via le foto... Quasi sicuramente no. E non le avrebbe neanche mandate a prendere. Sarebbero state vendute insieme al resto.

I Maigret si stavano dirigendo verso il parco, tappa quasi obbligata di tutte le passeggiate, quando lei aveva posto la sua domanda.

«Pensavo che Lecœur è un ottimo investigatore» rispose il marito.

La raffica di domande che il commissario di Clermont-Ferrand aveva rivolto a Francine in così rapida successione, senza lasciarle il tempo di riprendere fiato, era riuscita a venire a capo della sua resistenza. Lecœur aveva sfruttato al meglio gli elementi di cui disponeva, conseguendo dei risultati tangibili che sarebbero serviti come base per il proseguimento dell'inchiesta.

Allora per quale motivo Maigret non era del tutto soddisfatto? Certo, lui avrebbe agito diversamente:

due uomini, anche se applicano lo stesso metodo, lo fanno in maniera differente.

Ma non si trattava di metodo. Il commissario, in fondo, invidiava la disinvoltura del collega, la sua sicurezza, la sua fiducia in se stesso.

Per Maigret, ad esempio, la signorina in lilla non era solo la vittima di un omicidio, né una persona che aveva vissuto in un certo modo. Adesso che cominciava a conoscerla, si sforzava, quasi senza rendersene conto, di tentare di approfondire quella conoscenza.

Così, mentre Lecœur era partito tutto contento e spensierato per il suo appuntamento con il giudice istruttore, lui, passeggiando, continuava ad arrovellarsi, in particolare sulla storia delle due sorelle.

Del resto, il giudice, abituato a starsene chiuso nel suo ufficio e a farsi riassumere intere vite da poche aride frasi dei rapporti ufficiali, avrebbe capito ben poco di tutta quella faccenda...

Due sorelle, in un paesino sulla costa atlantica, con un negozio accanto alla chiesa. Maigret conosceva quel paesino, dove si viveva dei frutti della terra e del mare, e dove il commercio e l'allevamento di ostriche e mitili erano nelle mani di quattro o cinque grossi possidenti.

Rivedeva le donne, anziane e giovani, quando non addirittura giovanissime, partire al levar del giorno, qualche volta anche la notte, a seconda delle maree. Calzavano stivali di gomma e indossavano grossi maglioni e vecchie giacche da uomo.

Chine sul greto, raccoglievano le ostriche, i cui banchi erano scoperti, mentre gli uomini si occupavano dei mitili, che erano come avviticchiati ad appositi pali di legno.

Le ragazze, in genere – per lo meno all'epoca in cui le sorelle Lange abitavano in paese –, abbandonavano prematuramente gli studi, mentre i ragazzi arrivavano a stento ad avere la licenza elementare.

Hélène era un'eccezione. Era andata a scuola in città e aveva conseguito un titolo di studio che le consentiva di lavorare in un ufficio.

Partiva la mattina in bicicletta e ritornava la sera – una vera signorina, insomma.

E, dopo di lei, anche la sorella si sarebbe data da fare.

«Vivono entrambe a Parigi... Non si vedono più in paese... Ci disprezzano...».

Le loro amiche di un tempo continuavano a raschiare ogni mattina banchi di ostriche e a lavorare ai vivai. Si erano sposate e crescevano bambini che passavano il tempo a giocare in place de l'Église.

Hélène Lange aveva raggiunto il proprio scopo con fredda determinazione. Giovanissima, si era opposta con tutta se stessa a un destino già segnato, e aveva deciso di imboccare un'altra strada, creandosi un mondo tutto suo ispiratole dagli scrittori romantici.

Balzac era troppo crudo per lei, troppo simile a Marsilly, alla merceria di famiglia e ai vivai dove il freddo irrigidiva le mani.

Anche Francine, sebbene in modo diverso, era riuscita a fuggire. A quindici anni, già fidanzata con un autista di taxi – e già smaliziata –, si era chiesta perché essere avara del proprio corpo attraente e formoso, perché non servirsi con gli uomini del suo sorriso provocante.

E ciascuna, in fin dei conti, ce l'aveva fatta.

Hélène era proprietaria di una casa a Vichy e titolare di un grosso conto in banca, mentre Francine, tornata a Marsilly, ostentava la propria ricchezza nel miglior salone di bellezza del paese.

Lecœur non sentiva il bisogno di vivere con loro,

di capirle. Stabiliva dei fatti, ne traeva delle deduzioni e, di conseguenza, non provava alcun turbamento di coscienza.

A quelle due vite era legato un uomo: nessuno sapeva che faccia avesse, ma era lì, a Vichy, nella sua camera d'albergo, in un viale del parco, in una sala del Grand Casino, o chissà dove.

Quell'uomo aveva ucciso. Era braccato. Non poteva ignorare che la polizia, poco alla volta, con gli enormi mezzi a sua disposizione, accorciava di ora in ora le distanze, e lo avrebbe chiuso in un cerchio sempre più stretto, finché sulla sua spalla non si sarebbe posata una mano indifferente.

Anche lui aveva un passato. Era stato bambino, ragazzo, adulto, innamorato, probabilmente sposato, visto che lo sconosciuto che a Parigi si recava un paio di sere a settimana in rue Notre-Dame-de-Lorette vi si tratteneva soltanto un'ora.

Di Hélène, però, a un certo punto si perdevano le tracce, finché non ricompariva, da sola, a Nizza, dove in apparenza aveva deciso di sparire nell'anonimato.

Prima, però, aveva fatto una deviazione per un paesino della Borgogna, dove aveva vissuto un mese in una pensione con la sorella, che aveva avuto un bambino.

Maigret aveva bisogno di conoscere anche l'uomo. Di lui sapeva solo che era alto e robusto, e che soffriva di asma, malattia per la quale probabilmente era in cura e che gli conferiva quell'inconfondibile tono di voce.

Costui aveva commesso un omicidio per niente. Non era andato in rue du Bourbonnais per uccidere, ma per porre una domanda.

Ma Hélène Lange non aveva risposto. Anche quando lui l'aveva afferrata alla gola, per spaventarla, si era rifiutata di parlare e aveva pagato il suo silenzio con la vita.

Lui avrebbe potuto gettare la spugna. La prudenza glielo ordinava. Ogni suo passo lo esponeva a un nuovo pericolo. La macchina della polizia si era messa in moto.

Era già a conoscenza dell'esistenza della sorella, di Francine Lange? Lei asseriva di no, e magari era vero.

I fatti potevano essersi svolti così: lui veniva a sapere di Francine e del suo arrivo a Vichy da un giornale. Si metteva in testa di incontrarla e, armandosi di santa pazienza e giocando d'astuzia, riusciva a scoprire in quale albergo alloggiava.

Se Hélène non aveva parlato, forse la sorella minore, allettata da una grossa somma di denaro, avrebbe ceduto.

L'uomo era ricco, importante. Altrimenti, non avrebbe certo potuto versare più di cinquecentomila franchi nel corso degli ultimi anni.

Cinquecentomila franchi a fronte di niente. Perché in cambio non aveva avuto niente. Non sapeva neanche dove vivesse la donna alla quale mandava i soldi in contanti nei diversi uffici postali che lei gli indicava.

Diversamente, Hélène Lange sarebbe morta prima?

«Rimanga a Vichy ancora un paio di giorni...».

Giocava la sua ultima carta, a costo di farsi prendere. Andava a telefonare. Forse lo stava facendo proprio in quel momento, dipendeva dall'occasione che gli si prospettava per riuscire ad allontanarsi dalla moglie.

Ora, nei pressi della maggior parte delle cabine pubbliche, era appostato un collaboratore di Lecœur.

Maigret aveva pensato che lo sconosciuto non

avrebbe telefonato né da un caffè né da un bar né dalla sua camera d'albergo, ma poteva anche essersi sbagliato.

Mentre passeggiavano, i Maigret passarono proprio davanti a una di quelle cabine. Attraverso il vetro, videro una ragazzina che parlava con aria allegra e concitata.

«Credi che si farà prendere?».

«Sì, molto presto».

Perché quell'uomo desiderava qualcosa con troppa frenesia. Chissà, forse viveva con quell'idea fissa da anni, da quando, ogni mese, inviava il denaro sperando sempre in quella coincidenza che ci aveva messo quindici anni per verificarsi!

Poteva essere anche un uomo d'affari di successo, che nella vita quotidiana non perdeva mai il sangue freddo.

Quindici anni a rimuginare un'idea...

Aveva stretto troppo forte, senza intenzione di uccidere. Oppure...

Maigret si fermò di colpo nel bel mezzo di un viale e la moglie fece altrettanto, lanciandogli una rapida occhiata.

... Oppure, si era trovato davanti a qualcosa di così mostruoso, di così inaspettato, di così inaccettabile...

«Mi domando come procederà Lecœur» mormorò il commissario.

«Per far che?».

«Per farlo confessare...».

«Bisogna che prima lo trovi e lo arresti...».

«Si lascerà arrestare...».

Sarebbe stato un sollievo, per lui, non dover più cercare, non dover più mentire...

«Spero che non sia armato...».

Quest'ultima considerazione della moglie indusse Maigret a valutare un'altra eventualità. L'uomo, invece di arrendersi, decideva di farla finita una volta per tutte...

Lecœur aveva raccomandato prudenza ai suoi uomini? Maigret non poteva intervenire. In quella faccenda, era solo uno spettatore passivo – e il più discreto possibile.

Se anche si fosse lasciato arrestare, perché avrebbe dovuto parlare? Ciò non avrebbe minimamente influito sulle conseguenze del suo gesto, sulla decisione dei giurati. Per costoro, lui rimaneva pur sempre uno strangolatore, un individuo al quale non è dovuta alcuna forma di indulgenza, ancor meno di simpatia, quale che sia la sua storia.

«Ammettilo, te ne saresti occupato volentieri...».

La moglie si permetteva, a Vichy, delle osservazioni che non avrebbe mai fatto a Parigi. Forse perché erano in vacanza... Perché passavano insieme tutte le ore della giornata e dunque, tra loro, si era stabilito un legame più intimo...

Riusciva quasi a leggergli nel pensiero.

«Me lo chiedo anch'io... No... Non credo...».

Perché, ciò nonostante, si sentiva così coinvolto? In fondo, come diceva il dottor Rian, lui doveva pensare unicamente a riposarsi e a ripulirsi l'organismo. A proposito, il giorno seguente avrebbe visto il dottore, e per una mezzora sarebbe stato solo un paziente preoccupato del suo fegato, del suo stomaco, della sua milza, della sua pressione arteriosa e delle sue vertigini.

Quanti anni aveva Lecœur? Appena cinque meno di lui. Dunque, anche Lecœur, fra cinque anni, avrebbe iniziato a occuparsi della pensione e a chiedersi come impiegare il resto dei suoi giorni.

I Maigret passarono davanti ai due alberghi più lussuosi della città, alle spalle del casinò. Accanto al marciapiede erano parcheggiate lunghe automobili. Di fianco alla porta girevole dell'entrata, un uomo in smoking prendeva il fresco su una poltroncina da giardino.

Un lampadario di cristallo illuminava la hall con il tappeto orientale e le colonne in marmo, e un portiere gallonato rispondeva alle domande di un'anziana signora in abito da sera.

Forse l'uomo era ospite proprio di quell'albergo, o di quello accanto, o magari del Papillon Sévigné, nelle vicinanze del ponte di Bellerive. Un fattorino dall'aspetto giovanissimo ma dallo sguardo già adulto aspettava davanti all'ascensore.

Lecœur si era concentrato sull'anello più debole della catena, ossia su Francine Lange, e lei, colta alla sprovvista, aveva rivelato parecchie cose.

E avrebbe sicuramente fatto in modo di interrogarla di nuovo. Forse sarebbe riuscito a tirarle fuori qualcosa di più... Anche se magari lei aveva già detto tutto quello che sapeva.

«Un momento... Devo comprare il tabacco...».

Maigret entrò in un caffè rumoroso dove la maggior parte degli avventori stava guardando la televisione sistemata in alto su una mensola. L'aria odorava di vino e di birra. Il padrone, un tipo calvo, riempiva un bicchiere dopo l'altro e una ragazza, vestita tutta di nero tranne che per il grembiule bianco, portava poi le consumazioni ai tavoli.

Il commissario guardò automaticamente la cabina telefonica, in fondo alla sala, di fianco al bagno. Aveva la porta a vetri. Dentro non c'era nessuno.

«Tre pacchetti di trinciato...».

Non erano lontani dall'Hôtel de la Bérézina e, quando vi si avvicinarono ancora di più, scorsero Dicelle in piedi sulla soglia.

«Posso parlarle un istante, capo?».

La signora Maigret capì al volo, ed entrò subito a prendere la chiave della camera dal pannello.

«E se camminassimo?».

Le strade erano deserte, e i loro passi suscitavano echi.

«È stato Lecœur a consigliarle di venire da me?».

«Sì. Gli ho parlato al telefono. Era a casa, a Clermont, con la moglie e i figli...».

«Quanti figli ha?».

«Quattro... Il più grande ha diciotto anni e forse diventerà un campione di nuoto...».

«Che succede?».

«Siamo una decina a tenere sotto controllo le cabine telefoniche... Il commissario non dispone di uomini a sufficienza per metterne uno a ogni cabina, così abbiamo scelto quelle del centro, specie quelle che non sono troppo lontane dai principali alberghi...».

«Avete arrestato qualcuno?».

«Non ancora... Sto aspettando il commissario, che dev'essere già in viaggio... È andato tutto a monte per colpa mia... Ero di guardia in prossimità di una cabina in boulevard Kennedy... Era facile nascondersi grazie agli alberi...».

«È entrato un uomo per telefonare?».

«Sì... Un uomo alto, corpulento, rispondente ai connotati che ci hanno fornito... Sembrava diffidente... Si è guardato intorno, ma non poteva vedermi...

«Ha cominciato a comporre un numero... Chissà, magari mi sono sporto troppo in avanti con la testa... O magari ha cambiato idea all'improvviso... Fatto sta che, dopo aver composto tre numeri, si è fermato di colpo ed è uscito dalla cabina...».

«L'ha arrestato?».

«Le mie istruzioni erano di non arrestarlo in nessun caso, ma di seguirlo. Mi ha sorpreso vederlo raggiungere, dopo neanche una ventina di metri, una donna che lo aspettava all'ombra...».

«Che genere di donna?».

«Una signora molto perbene, sulla cinquantina...».

«Avevano l'aria di essere d'accordo?».

«No. Lei gli si è messa sottobraccio e si sono diretti verso l'Hôtel des Ambassadeurs...».

Proprio quello di cui Maigret, un'ora prima, aveva ammirato la hall e il lampadario di cristallo.

«Poi?».

«Niente. L'uomo si è avvicinato al portiere, che gli ha dato la chiave e gli ha augurato la buonanotte...».

«L'ha visto bene?».

«Benissimo... Secondo me, è più anziano della moglie... Sarà sulla sessantina... Hanno preso l'ascensore e non li ho più rivisti...».

«Lui era in smoking?».

«No... Indossava un completo scuro di ottimo taglio... Ha i capelli argentei pettinati all'indietro, il colorito roseo e, mi pare, dei baffetti bianchi...».

«Ha interrogato il portiere?».

«Ovvio... La coppia sta alla 105, al primo piano, una camera da letto grande e un salotto... È il loro primo anno a Vichy, ma conoscono il proprietario, che ha anche un albergo a La Baule... Si tratta di Louis Pélardeau, industriale, domiciliato a Parigi, in boulevard Suchet...».

«È qui per seguire una cura?».

«Sì... Ho chiesto se la sua voce aveva qualcosa di particolare e il portiere mi ha confermato che è asmatico... Il dottor Rian li ha in cura tutti e due...».

«Anche la signora Pélardeau segue una cura?».

«Sì... Pare che non abbiano figli... Hanno ritrovato in albergo degli amici di Parigi e in sala da pranzo mangiano allo stesso tavolo... A volte vanno insieme a teatro...».

«È rimasto qualcuno a sorvegliare l'albergo?».

«Ho dato l'incarico a un agente della polizia locale, in attesa che sul posto arrivi un mio collega, cosa che ormai dev'essere avvenuta... L'agente aveva tutto il diritto di mandarmi al diavolo, ma si è dimostrato molto disponibile...».

Dicelle era eccitato.

«Che ne pensa?... È lui, vero?».

Maigret non rispose subito, prima si riaccese la pipa. Erano a meno di un centinaio di metri dalla casa della signorina in lilla.

«Sì, penso che sia lui...» sospirò infine.

Il giovane ispettore lo guardò stupito, perché avrebbe giurato che il commissario l'avesse detto a malincuore.

«Devo aspettare il capo davanti all'albergo... Sarà lì tra una ventina di minuti...».

«Ha chiesto che venga anch'io?».

«Mi ha detto che lei mi avrebbe sicuramente accompagnato...».

«Devo prima avvertire mia moglie...».

Durante l'intervallo, al teatro del Grand Casino, si era riversata in strada una gran folla, e molti degli spettatori, soprattutto donne in abiti leggeri o molto scollati, rivolgevano sguardi inquieti al cielo solcato dai fulmini.

Delle nuvole passavano basse, veloci, ma la cosa più preoccupante era l'arrivo da ponente di una massa scura, minacciosa, quasi solida.

Davanti all'Hôtel des Ambassadeurs, Maigret e Dicelle aspettavano in silenzio, osservati con curiosità dal portiere, in piedi dietro il suo bancone di legno verniciato su uno sfondo di caselle e chiavi appese.

Lecœur arrivò nel momento in cui cominciavano a cadere i primi goccioloni di pioggia fredda e il campanello annunciava la fine dell'intervallo. Dopo diverse manovre complicate per parcheggiare la macchina, scese e si diresse verso di loro con la fronte aggrottata.

«È in camera?» domandò.

Dicelle si affrettò a rispondere:

«La 105, al primo piano. Le finestre danno sulla strada...».

«La moglie è con lui?».

«Sì. Sono rientrati insieme...».

Una figura uscì dall'ombra e un poliziotto, che Maigret non conosceva, chiese sottovoce:

«Continuo a rimanere di guardia?».

«Sì...».

Lecœur si accese una sigaretta e andò a ripararsi sulla soglia.

«Fra il tramonto e l'alba non ho il diritto di arrestarlo, a meno di non coglierlo in flagranza di reato...» disse ironico, citando un articolo del Codice di procedura penale. Poi aggiunse pensieroso: «Non ho nemmeno abbastanza indizi contro di lui per ottenere un mandato di arresto...».

Sembrava chiedere aiuto a Maigret, ma questi non fiatava.

«Non mi va di lasciarlo a cuocersi nel suo brodo per tutta la notte... Di sicuro ha intuito di essere stato individuato... È successo qualcosa che gli ha impedito di fare la sua telefonata... La presenza della moglie a pochi passi dalla cabina telefonica non mi quadra...».

Poi, in tono quasi di rimprovero, proseguì:

«Non dice niente, capo?...».
«Non ho niente da dire...».
«Che farebbe al mio posto?».
«Non aspetterei oltre... Eviterei di salire in camera da loro, perché probabilmente si stanno spogliando... Sarebbe più discreto fargli arrivare un breve messaggio...».
«Che dica cosa, per esempio?».
«Che qualcuno, giù nella hall, ha una comunicazione riservata da fargli...».
«Crede che scenderà?».
«Scommetto di sì...».
«Tu aspettaci qui, Dicelle... Non è il caso di entrare nell'albergo in forze...».
Lecœur si diresse verso il portiere mentre Maigret rimaneva in piedi al centro della hall, guardando distrattamente l'immenso salone quasi deserto. Tutti i lampadari erano accesi e lontano, in fondo all'enorme stanza, quattro persone di una certa età, due uomini e due donne, giocavano a bridge con gesti lenti e cadenzati. La distanza dava un senso di irrealtà alla scena, come se fosse girata al rallentatore o ambientata su un altro pianeta.
Il fattorino si precipitò verso l'ascensore con una busta in mano. Lecœur, in un tono di voce appena percettibile, disse:
«E vediamo che succede...».
Poi, forse perché impressionato dall'atmosfera solenne dell'albergo, si tolse il cappello. Anche Maigret aveva la sua paglietta in mano. Fuori si stava scatenando un violento temporale, e la pioggia cadeva fitta davanti alla porta. Sulla soglia si erano rifugiate diverse persone, di cui si vedeva solo la schiena.
Il fattorino ricomparve di lì a poco dicendo:
«Il signor Pélardeau scende subito...».
I due commissari si voltarono involontariamente

verso l'ascensore. Dal modo in cui si lisciava i baffi, stringendoli tra l'indice e il pollice, Maigret capì che il collega era piuttosto nervoso.

Un campanello, di sopra. L'ascensore salì, si fermò un momento e subito dopo ricomparve.

Ne uscì un uomo, vestito di scuro, il colorito roseo, i capelli argentei. Lanciò un'occhiata tutt'intorno nella hall e avanzò verso i due uomini con sguardo interrogativo.

Lecœur aveva il distintivo nel cavo della mano e lo mostrò con discrezione.

«Avrei bisogno di parlarle, signor Pélardeau».

«Adesso?».

La voce era rauca, proprio come quella descritta dai testimoni. L'uomo non perdeva la calma. Aveva certamente riconosciuto Maigret e sembrava stupito che, in una tale circostanza, per lui fosse stata prevista solo una parte muta.

«Adesso, sì. La mia macchina è davanti all'entrata. La accompagno nel mio ufficio...».

Pélardeau impallidì leggermente. Aveva circa sessant'anni, ma ben portati, ed era molto signorile nell'atteggiamento, nelle espressioni del volto, nel portamento eretto.

«Rifiutare non servirebbe, immagino».

«No, complicherebbe solo le cose...».

L'altro rivolse un'occhiata al portiere, poi al salone, dove in lontananza si intravedevano ancora le quattro sagome dei giocatori di bridge. Un'occhiata anche all'esterno, alla pioggia che scendeva a dirotto.

«Non è il caso che io salga a prendermi un cappello o un impermeabile, vero?».

Maigret incrociò lo sguardo di Lecœur, e con gli occhi indicò il soffitto. Era inutile, crudele, lasciare la moglie lassù da sola, all'oscuro di tutto. La notte si preannunciava lunga e c'erano poche probabilità che il marito potesse tornare a rassicurarla.

Lecœur mormorò:

«Può far recapitare alla signora un biglietto... A meno che non sia al corrente...».

«No... Che cosa devo scriverle?...».

«Non lo so... Che ci metterà più tempo del previsto...».

Pélardeau si diresse verso il bancone del portiere.

«Ha un pezzo di carta, Marcel?».

Più che abbattuto o spaventato, Pélardeau appariva triste. Con la penna a sfera che aveva con sé, scrisse qualche parola e rifiutò la busta offertagli dal portiere.

«Aspetti qualche minuto prima di mandarlo su...».

«Bene, signor Pélardeau...».

Il portiere avrebbe voluto aggiungere qualcosa ma, non trovando niente da dire, tacque.

«Per di qua...».

Lecœur diede delle istruzioni a bassa voce a un Dicelle già bagnato fradicio e aprì la portiera posteriore.

«Salga...».

L'industriale si chinò ed entrò in macchina per primo.

«Anche lei, capo...».

Maigret capì che il collega non voleva lasciare Pélardeau di dietro da solo. Un minuto dopo erano in viaggio verso l'ufficio di Lecœur. Per strada c'era chi andava di corsa e chi invece se ne stava immobile sotto gli alberi, in attesa che la pioggia cessasse. Qualcuno aveva anche trovato riparo sotto il chiosco dove di solito prendeva posto l'orchestra.

L'auto entrò nel cortile dell'edificio della polizia, in avenue Victoria, e Lecœur scambiò qualche parola con l'agente di guardia. Nei corridoi, che a Maigret parvero non finire mai, erano rimaste accese solo poche lampade.

«Entri... Non è una reggia, ma preferisco non portarla subito a Clermont-Ferrand...».

Lecœur si levò il cappello, ma esitò prima di togliersi la giacca perché le spalle, così come quelle degli altri due uomini, erano zuppe di pioggia.

Rispetto all'esterno, dove la temperatura si era di colpo abbassata, lì l'aria era viziata e faceva molto caldo.

«Si accomodi...».

Maigret, che era tornato a sedersi nel suo solito angolo, cominciò a caricarsi lentamente la pipa senza distogliere lo sguardo dal volto dell'industriale. Questi aveva preso posto su una sedia e aspettava, apparentemente calmo.

Ma era una calma drammatica, quasi straziante, il commissario lo sentiva. Non un muscolo del suo viso si muoveva, solo gli occhi andavano dall'uno all'altro dei due poliziotti; probabilmente stava cercando di capire come mai, in quella faccenda, Maigret avesse un ruolo secondario.

Lecœur, per prendere tempo, posò sulla scrivania un taccuino e una matita, e mormorò come tra sé:

«Le sue risposte alle mie domande non saranno messe a verbale, perché questo non è un interrogatorio ufficiale...».

L'uomo abbassò la testa in segno di assenso.

«Lei si chiama Louis Pélardeau ed è industriale. Abita a Parigi, in boulevard Suchet».

«Esatto».

«È sposato, immagino».

«Sì».

«Ha figli?».

Esitò un attimo prima di rispondere con una strana amarezza:

«No».
«È qui per una cura?».
«Sì».
«È la prima volta che viene a Vichy?».
«Mi è capitato di passare di qui in macchina...».
«Mai appositamente per incontrarvi qualcuno?».
«No».

Lecœur infilò una sigaretta nel bocchino, l'accese, e si concesse qualche secondo di silenzio.

«Immagino che lei sappia perché è stato portato qui, vero?».

L'uomo rifletté, con lo sguardo ancora impassibile, ma Maigret aveva già capito. Una tale calma, una tale imperturbabilità non erano dovute a una buona padronanza di sé bensì a una forte emozione.

Era in stato di shock, e Dio solo sa come gli apparissero le immagini circostanti, come risuonasse alle sue orecchie la voce di Lecœur.

«Preferirei non rispondere...».
«Lei mi ha seguito senza protestare...».
«Sì...».
«Si aspettava di essere interrogato?...».

Pélardeau si voltò verso Maigret come in cerca di aiuto, poi ripeté con un filo di voce:

«Preferirei non rispondere...».

Lecœur si appuntò una parola sul taccuino, poi partì con un altro affondo:

«Le è capitato, a Vichy, di incontrare inaspettatamente qualcuno che non vedeva da quindici anni...».

Gli occhi dell'industriale erano leggermente umidi, ma senza lacrime. Forse per via della luce cruda. Quella stanza alla fine del corridoio veniva usata così di rado che era arredata per modo di dire e l'illuminazione era costituita da una semplice lampadina appesa a un filo.

«Stasera, quando è uscito con sua moglie, aveva già deciso che si sarebbe fermato a telefonare?».

Pélardeau esitò un attimo, poi annuì.

«Dunque, sua moglie non è al corrente?».

«Della telefonata che dovevo fare?».

«Diciamo così».

«No».

«Non sa tutto di lei?».

«Assolutamente no».

«Eppure lei è entrato in una cabina...».

«Mia moglie ha deciso di venire con me all'ultimo momento... Non ho avuto la pazienza di aspettare un'altra occasione... Le ho detto di aver dimenticato la chiave della camera nella serratura e che avrei chiamato il portiere per avvertirlo...».

«Perché non ha finito di comporre il numero?».

«Ho avuto la sensazione di essere osservato...».

«Non ha visto niente?».

«Qualcosa si è mosso dietro un albero... Allo stesso tempo, ho pensato che quella telefonata era inutile...».

«Perché?».

Non rispose. Teneva le mani posate sulle ginocchia, con i palmi rivolti verso il basso; erano mani grassocce, bianche e curate.

«Se ha voglia di fumare...».

«Non fumo...».

«Il fumo le dà fastidio?».

«Mia moglie fuma molto... Troppo...».

«Le è venuto il dubbio che a rispondere avrebbe potuto non essere Francine Lange?».

Ancora una volta lui rimase zitto, ma non negò.

«L'ha chiamata ieri sera... Le ha detto che l'avrebbe richiamata per fissare un incontro... Ho buone ragioni per credere che, stasera, lei avesse deciso il luogo e l'ora dell'appuntamento...».

«Chiedo scusa di non essere più collaborativo...».

Doveva continuamente riprendere fiato e a tratti dalla gola gli usciva un leggero sibilo.

«Non è mancanza di volontà da parte mia, mi creda...».

«Aspetta di essere assistito da un avvocato?».

Lui fece un gesto vago con la mano destra, come per scacciare quell'idea.

«Bisognerà pure che lei ne nomini uno...».

«Lo farò, dal momento che lo prescrive la legge...».

«Spero le sia chiaro, signor Pélardeau, che, a partire da adesso, lei non è più un uomo libero...».

Lecœur aveva avuto l'accortezza di non pronunciare la parola «prigione» e Maigret gliene fu grato.

L'uomo incuteva rispetto ai due commissari, soprattutto in quell'ufficio angusto, dalle pareti neutre. Seduto su una sedia di legno tornito, sembrava ancora più alto e manteneva una calma sorprendente, una dignità inaspettata.

Lecœur e Maigret avevano interrogato centinaia di sospetti e ce ne voleva per impressionarli. Quella sera, l'uomo di fronte a loro ci riuscì.

«Potrei rimandare questa conversazione a domani, ma non servirebbe a niente, vero?».

Pélardeau pareva convinto che la faccenda non fosse affar suo ma del commissario.

«A proposito, di che settore si occupa la sua azienda?».

«Trafilati...».

Finalmente era stato toccato un argomento di cui poteva parlare, e fornì qualche dettaglio, quasi per non dare l'impressione di dire di no a tutto o tacere sistematicamente.

«Ho ereditato da mio padre un'officina piuttosto modesta, vicino a Le Havre... Sono riuscito a ingrandirla e a metterne su delle altre a Rouen, a Strasburgo...».

«Dunque, è a capo di un'azienda importante?».

«Sì».

Sembrava quasi scusarsene.

«I suoi uffici sono a Parigi?».

«La sede sociale. Abbiamo uffici più moderni a Rouen e a Strasburgo, ma ci tenevo a conservare la vecchia sede sociale in boulevard Voltaire...».

Per lui, tutto ciò apparteneva ormai al passato. In pochi minuti, quella sera, mentre un fattorino con i galloni dorati saliva in ascensore con un biglietto in mano, un'intera parte della sua vita aveva cessato di esistere.

Lui lo sapeva, e forse era questo il motivo per cui accettava di parlarne.

«È sposato da molto?».

«Trent'anni...».

«In passato, ha avuto fra i suoi dipendenti una certa Hélène Lange?».

«Preferisco non rispondere».

Ogni volta che si toccava un punto delicato era la stessa storia.

«Si rende conto, signor Pélardeau, che in questo modo lei non mi facilita il compito?».

«Mi dispiace».

«Se ha intenzione di negare i fatti che sto per contestarle, preferirei saperlo subito...».

«Non ho idea di cosa stia per dirmi...».

«Si dichiara innocente?».

«In un certo senso, no...».

Lecœur e Maigret si guardarono, sorpresi dal modo semplice, naturale, in cui aveva dato quella risposta, in realtà così terribile, senza batter ciglio.

Maigret rivedeva le fronde del parco, il verde del fogliame che, in certi punti, assumeva tonalità irreali alla luce dei lampioni, i musicisti dalle uniformi gallonate.

Ma soprattutto, rivedeva il viso lungo e affilato di Hélène Lange che allora, per lui e la moglie, non era altro che la signora o signorina in lilla.

«Conosceva la signorina Lange?».

Pélardeau rimase immobile come una statua, senza nemmeno respirare, quasi stesse trattenendo il fiato.

E infatti ebbe una crisi d'asma. Paonazzo in volto, tirò fuori di tasca un fazzoletto, aprì la bocca e si mise a tossire violentemente, piegato in due.

Maigret era contento di non essere al posto del collega. Per una volta, lasciava il lavoro sgradevole a un altro.

«Io...».

«Prego, faccia con comodo...».

Con le lacrime agli occhi, Pélardeau si sforzava invano di bloccare la crisi, che durò parecchi minuti.

Quando si raddrizzò, per prima cosa si asciugò la faccia, ancora tutta rossa.

«Mi scusi...».

Riusciva a mala pena a parlare.

«Mi prende diverse volte al giorno... Il dottor Rian è convinto che la cura mi farà bene...».

A un tratto lo colpì l'ironia di quelle parole.

«Voglio dire: che mi avrebbe fatto bene...».

Avevano lo stesso medico, lui e Maigret. Si erano spogliati nella stessa stanza verniciata a smalto, e si erano sdraiati sullo stesso lettino coperto da un lenzuolo bianco.

«Mi stava chiedendo...?».

«Se conosceva Hélène Lange...».

«Non servirebbe a niente negarlo...».

«La odiava?».

Se Maigret avesse potuto, avrebbe fatto segno al collega che non era quella la strada giusta.

L'uomo, infatti, guardò Lecœur con vivo stupore e, per un attimo, nonostante i suoi sessant'anni compiuti, il suo volto assunse un'espressione di candore quasi infantile.

«Perché?» mormorò. «Perché mai avrei dovuto odiarla?».

Si voltò verso Maigret come per coinvolgere anche lui.

«Ne è stato innamorato?».

A quel punto ci fu un cambiamento inatteso. Pélardeau aggrottò la fronte, cercando di capire. Le ultime due domande lo avevano colto alla sprovvista, come se fosse stato rimesso tutto in discussione.

«Non vedo proprio...» balbettò.

Ancora una volta, rivolse lo sguardo prima all'uno e poi all'altro, indugiando più a lungo su Maigret.

C'era un evidente malinteso su qualche aspetto della vicenda.

«La andava a trovare nel suo appartamento di rue Notre-Dame-de-Lorette...».

«Sì...».

Sembrava voler aggiungere: «E questo che importanza ha?».

«Le pagava lei l'affitto, vero?».

L'uomo rispose con un cenno discreto.

«Era la sua segretaria?».

«Una mia impiegata...».

«Il vostro legame è durato parecchi anni...».

Palesemente, perdurava il malinteso.

«Andavo a trovarla una o due volte a settimana...».

«Sua moglie ne era al corrente?».

«Certo che no...».

«Non lo ha mai scoperto?».

«Mai...».

«E adesso?...».

Il povero Pélardeau dava l'impressione di uno che continui a sbattere la testa contro lo stesso muro.

«Nemmeno adesso... È un fatto che non c'entra niente...».

Non c'entra niente con che cosa? Con il delitto? Con le sue telefonate? Lui e Lecœur parlavano due lingue diverse, ciascuno seguendo la propria idea, sorpresi entrambi di non riuscire a capirsi.

7

Lo sguardo di Lecœur cadde sull'apparecchio telefonico posato sulla scrivania. Il commissario parve esitare, poi notò una placchetta con un bottone bianco e finì per premerlo.

«Col suo permesso... Non so dove suoni quest'affare, ammesso che funzioni... Vediamo se viene qualcuno...».

Lecœur aveva bisogno di una pausa. Tutti e tre rimasero in silenzio, evitando di guardarsi. Almeno in apparenza, forse era Pélardeau il più calmo, il più padrone di sé. Del resto, per quanto lo riguardava, il suo gioco era stato scoperto e lui non aveva più niente da perdere.

Si sentirono rimbombare dei passi, dapprima molto in lontananza sui gradini di una scala in ferro, poi in un corridoio e in un altro ancora, e finalmente qualcuno bussò alla porta.

«Avanti!».

Era un agente della polizia locale: giovanissimo e tirato a lucido, che davanti a quei tre uomini di una certa età dava un'impressione di forza e di energia.

Lecœur, che si sentiva quasi un estraneo lì dentro, gli chiese:

«Ha un momento libero?».

«Sicuro, signor commissario. Stavamo giocando a carte...».

«Può sorvegliare il signor Pélardeau durante la nostra assenza?».

L'agente non ne sapeva nulla, e guardò meravigliato quell'uomo elegante che metteva soggezione.

«Agli ordini, signor commissario...».

Pochi secondi dopo, Lecœur e Maigret raggiungevano il porticato esterno e trovavano riparo dalla pioggia, che continuava a cadere abbondante, disegnando fitti tratteggi nel buio, sotto una pensilina che precedeva i gradini.

«Soffocavo, lì dentro... Ho pensato che anche a lei non sarebbe dispiaciuto prendere una boccata d'aria...».

L'enorme nuvola dalla quale provenivano i lampi era proprio sopra la città e il vento stava calando. La strada era deserta, salvo qualche macchina che ogni tanto procedeva lentamente sollevando grossi schizzi d'acqua.

Il capo della Polizia giudiziaria di Clermont-Ferrand si accese una sigaretta, con lo sguardo fisso sulla pioggia che rimbalzava sul cemento e scuoteva il fogliame del giardino.

«Credo di essermi impappinato miseramente, capo... Avrei dovuto cederle il posto...».

«Che cosa avrei fatto di diverso, io?... Lei gli ha dato fiducia... Era arrivato al punto che gli sembrava inutile rispondere alle sue domande... Preferiva tacere, qualunque cosa fosse successa... Era un uomo al limite delle sue risorse, che non reagiva più, che accettava...».

«È parso anche a me...».

«A poco a poco lei è riuscito a strappargli qualche risposta... A destare il suo interesse... Poi è successo qualcosa che non riesco ancora a spiegarmi... Una sua frase deve averlo colpito...».

«Quale?».

«Non lo so... Quel che so è che, dopo, Pélardeau non è stato più lo stesso... Ho continuato a osservare la sua faccia... E vi ho letto di colpo uno sbalordimento totale... Bisognerebbe poter soppesare tutte le parole dette... Lui era sicuro che noi ne sapessimo di più...».

«Che noi sapessimo cosa?...».

Maigret tacque e tirò alcune boccate dalla pipa.

«Un fatto per lui evidente, ma che a noi è sfuggito...».

«Forse avrei dovuto far registrare il nostro colloquio...».

«Non avrebbe aperto bocca...».

«È sicuro di non voler continuare lei l'interrogatorio, capo?».

«Non solo sarebbe irregolare, e il suo avvocato, in seguito, potrebbe approfittarne, ma non riuscirei comunque a far meglio di lei, anzi, forse farei anche peggio...».

«Non so più da che verso prenderlo e, come se non bastasse, pur sapendo che è colpevole, non posso impedirmi di provarne pietà... Non è il genere di criminale con il quale abbiamo a che fare di solito... Quando abbiamo lasciato l'albergo, poco fa, ho avuto come la sensazione che un mondo gli si fosse brutalmente chiuso alle spalle...».

«L'ha capito anche lui...».

«Crede?».

«Ha voluto mantenere a tutti i costi un contegno dignitoso e considererebbe qualsiasi forma di pietà un'elemosina...».

«Mi chiedo se finirà per crollare...».

«Parlerà...».

«Stanotte?».

«Forse...».

«Su quale terreno?...».

Maigret aprì bocca per dire qualcosa, ma ci ripensò, rimettendosi a fumare. Poi disse evasivamente:

«A un certo punto, non troppo presto, lei potrebbe fare allusione a Mesnil-le-Mont... Domandandogli, per esempio, se ci è mai stato...».

Lecœur non sembrava attribuire grande importanza alla cosa.

«Lei pensa di sì?».

«Non sono in grado di risponderle...».

«Che motivo avrebbe avuto per recarsi là e in che modo questo potrebbe essere collegato con i fatti di Vichy?...».

«Mah, una vaga intuizione...» si scusò Maigret. «Quando si è trascinati dalla corrente, ci si aggrappa a qualunque cosa...».

Anche l'agente di guardia era giovane e, ai suoi occhi, i due uomini che chiacchieravano sotto la pensilina erano personaggi prestigiosi, ormai ai vertici della gerarchia.

«Avrei bevuto volentieri una bella birra...».

All'angolo della strada c'era un bar, ma non era il caso di mettersi a correre sotto il diluvio. Alla parola «birra» Maigret fece un sorriso rassegnato. L'aveva promesso a Rian. E le promesse vanno mantenute.

«Torniamo su?».

L'agente della polizia locale si era appoggiato alla parete, e quando loro entrarono si raddrizzò prontamente e si mise sull'attenti, mentre Pélardeau li osservava, prima l'uno poi l'altro.

«Grazie... Può andare...».

Lecœur riprese il suo posto spostando leggermente il taccuino, la matita e il telefono.

«Le ho lasciato qualche minuto per riflettere, signor Pélardeau... Per il momento non intendo sottoporla a un interrogatorio serrato, che servirebbe soltanto a confonderla... Voglio solo farmi un'idea... Non è facile entrare di punto in bianco nella vita altrui senza commettere passi falsi...».

Il commissario cercava il tono giusto, come i musicisti di un'orchestra prima che si alzi il sipario, e l'uomo lo seguiva attento, ma apparentemente senza emozione.

«Quando ha conosciuto Hélène Lange, era sposato già da un po', immagino...».

«Avevo superato i quaranta... Non ero più un ragazzino e avevo già quattordici anni di vita coniugale alle spalle...».

«Il suo è stato un matrimonio d'amore?...».

«Questa è un'espressione alla quale si dà un significato diverso con il passare degli anni...».

«Non si trattava di un matrimonio di interesse, di convenienza?».

«No... Avevo agito liberamente... E, da questo punto di vista, non ho alcun rimpianto, se non lo strazio che procurerò a mia moglie... Siamo ottimi amici... Lo siamo sempre stati e ho trovato in lei la massima comprensione...».

«Anche a proposito di Hélène Lange?...».

«Non ne sa niente...».

«Perché?».

Di nuovo Pélardeau guardò i due commissari, prima l'uno poi l'altro.

«È un argomento che mi è difficile affrontare... Non sono un donnaiolo... Nella mia vita ho sempre pensato prima al lavoro e forse, per molto tempo, sono rimasto un ingenuo...».

«Un amore passionale?...».

«Non saprei come definirlo... Avevo conosciuto una persona completamente diversa da tutte quelle incontrate prima... Hélène mi attraeva e mi spaventava allo stesso tempo... La sua frenesia mi sconcertava...».

«Siete diventati amanti?...».

«Dopo parecchio tempo...».

«Si è fatta desiderare a lungo?».

«No. Ero io... Lei non aveva mai avuto una relazione prima... Ma tutto questo, per lei che mi interroga, è banale, non è vero?... Io l'amavo... Insomma, credevo di amarla... Non mi chiedeva niente, si accontentava di occupare nella mia vita un piccolissimo posto, di quelle visite settimanali cui lei ha accennato...».

«Non avete mai affrontato la questione divorzio...».

«Mai! E comunque, io volevo sempre bene a mia moglie, anche se in modo diverso, e non avrei mai accettato di lasciarla...».

Poveraccio! Di sicuro era più a suo agio nei suoi uffici, nelle sue officine o a un consiglio di amministrazione da lui presieduto.

«È stata lei a lasciarla?».

«Sì...».

Lecœur lanciò una rapida occhiata a Maigret.

«Mi dica, signor Pélardeau, è mai stato a Mesnil-le-Mont?...».

Lui divenne paonazzo, abbassò la testa, balbettò:

«No...».

«Ha saputo che lei si trovava là?».

«Non quando è successo...».

«Vi eravate già lasciati quando Hélène ci è andata?».

«Mi aveva detto che non l'avrei più rivista...».

«Perché?».

Ancora una volta, lo stupore, l'incomprensione. Ancora una volta, gli sguardi di un uomo che non sa più dove si trova.

«Lei non voleva che nostro figlio...».

Stavolta toccò a Lecœur sgranare gli occhi mentre Maigret non fiatava, rannicchiato nel suo angolino, tranquillo e sornione come un grosso gatto.

«Di che bambino parla?».

«Ma... di quello di Hélène... Di mio figlio...».

Suo malgrado, pronunciò l'ultima parola con orgoglio.

«Vuole dire che Hélène ha avuto un figlio da lei?».

«Philippe, sì...».

Lecœur fremeva.

«È riuscita a farle credere che...».

Ma il suo interlocutore, senza perdere la pazienza, scosse il capo.

«Non mi ha fatto credere niente... Ho la prova...».

«Quale prova?».

«L'estratto dell'atto di nascita...».

«A firma del sindaco di Mesnil-le-Mont?».

«Sì, certo...».

«E come nome della madre è indicato quello di Hélène Lange?».

«Ovviamente...».

«E lei non è andato a vedere quel bambino che considerava figlio suo e della signorina Lange?».

«Che considero mio figlio... Che è mio figlio... Non ci sono andato perché ancora non sapevo dove avesse partorito...».

«Perché tanto mistero?».

«Perché lei non voleva che suo figlio, un giorno, si venisse a trovare, come dire, in una situazione equivoca...».

«Non pensa che scrupoli del genere siano ormai fuori moda?».

«Per qualcuno, forse... Hélène, anche in quel senso, apparteneva a un'altra epoca... Aveva un elevato concetto di...».

«Senta, signor Pélardeau... Credo di iniziare a capire, ma è necessario lasciare da parte, almeno per il momento, le questioni sentimentali... Mi perdoni se sarò brutale... Contano i fatti, e contro di loro nessuno può farci niente, né io né lei...».

«Non vedo dove voglia arrivare...».

Un'ombra di inquietudine, appena percepibile, cominciava a prendere forma sul volto di Pélardeau, dietro la sua maschera imperturbabile.

«Conosceva Francine Lange?».

«No...».

«Non l'ha mai incontrata a Parigi?».

«Mai. Né a Parigi né altrove...».

«Sapeva che Hélène aveva una sorella?».

«Sì... Mi aveva parlato di una sorella più giovane di lei... Erano rimaste orfane... Hélène aveva dovuto abbandonare gli studi e andare a lavorare affinché la sorella...».

Incapace di star fermo, Lecœur si alzò in piedi, e se l'ufficio fosse stato più grande nella foga del momento si sarebbe messo a percorrerlo in lungo e in largo.

«Continui... Continui...».

Pélardeau si passò una mano sulla fronte.

«... affinché la sorella potesse ricevere l'educazione che meritava...».

«Che meritava, eh!... Non me ne voglia, signor Pélardeau... Sto per darle un grosso dolore... Forse dovrei comportarmi diversamente, prepararla alla verità un po' alla volta...».

«Quale verità?...».

«La sorella, a quindici anni, lavorava da un parrucchiere, a La Rochelle, ed era l'amante di un autista di taxi, il primo di una lunga serie di amanti...».

«Ho letto le sue lettere...».

«Di chi?...».

«Di Francine... Era interna in una rinomata scuola svizzera...».

«Ha verificato di persona?».

«No, ovviamente...».

«Quelle lettere, le ha conservate?».

«Gli ho dato solo una scorsa...».

«Invece, all'epoca, Francine faceva la manicure in un grande albergo sugli Champs-Élysées... Sta cominciando a capire?... Tutto quello a cui ha creduto era soltanto una mistificazione...».

L'uomo non si arrendeva ancora. I tratti del suo viso, fino allora immobili, cominciavano ad alterarsi, e la sua bocca ebbe un'improvvisa contrazione, così penosa che Maigret e Lecœur si voltarono da un'altra parte.

«Non è possibile...» balbettò.

«Purtroppo è la verità...».

«Ma perché?».

Era un ultimo appello al destino. Che gli dicessero subito, dunque, che era tutto falso, che gli confessassero che si trattava solo di un tentativo da parte della polizia di abbatterlo inventandosi storie ignobili...

«Le chiedo scusa, signor Pélardeau... Fino a stasera, fino a pochi minuti fa, anch'io ignoravo quanto fossero complici le due sorelle...».

Lecœur fu sul punto di risedersi, ma cambiò idea. Era ancora troppo nervoso per farlo.

«Hélène le ha mai parlato di matrimonio?».

«No...».

Negò con un tono già meno categorico che in precedenza.

«Nemmeno quando le ha detto di essere incinta?...».

«Non voleva distruggere il mio matrimonio...».

«Gliene ha parlato, quindi...».

«Non nel senso che intende lei... Per farmi sapere, appunto, che sarebbe sparita...».

«Aveva intenzione di suicidarsi?».

«Neanche per sogno... Dal momento che il bambino non poteva essere legittimo...».

Lecœur sospirò, lanciando a Maigret un altro sguardo d'intesa. Entrambi si immaginavano le scene che dovevano essersi svolte tra Hélène Lange e il suo amante.

«Lei non mi crede... Io stesso...».

«Cerchi di guardare in faccia la realtà... Non le potrà fare che bene...».

«A me, al punto in cui sono?...».

Indicò le quattro mura entro cui era chiuso come se fossero quelle di una prigione.

«Mi lasci finire, per quanto possa sembrarle ridicolo... Lei voleva consacrare il resto della sua vita a tirar su il nostro bambino come aveva già fatto con la sorella...».

«Senza che lei lo vedesse mai?».

«In che veste sarei andato a trovarlo?».

«Poteva essere uno zio, un amico...».

«Hélène odiava la menzogna...».

Il suo tono di voce, all'improvviso, tradì una punta di ironia, il che era un buon segno.

«Così, Hélène si è opposta a che un giorno vostro figlio sapesse chi era il padre...».

«In seguito, una volta diventato maggiorenne, gli avrebbe detto tutto...».

E aggiunse, con quella sua voce rauca:

«Adesso ha quindici anni...».

Lecœur e Maigret mantenevano un silenzio carico di angoscia.

«Quando l'ho rivista, a Vichy, ho deciso di...».

«Continui...».

«Di vederlo... Di sapere dov'era...».

«L'ha saputo?».

Fece segno di no con la testa, e finalmente nei suoi occhi comparvero le lacrime.

«No...».

«Hélène dove le aveva detto che sarebbe andata a partorire?».

«In un paesino che conosceva lei... Non ha specificato quale... Solo due mesi dopo mi ha inviato l'estratto dell'atto di nascita... La lettera veniva da Marsiglia...».

«Quanti soldi le ha dato quando è partita?».

«Che importanza ha?».

«Molta... Vedrà».

«Ventimila franchi... Trentamila glieli ho mandati a Marsiglia... Poi mi sono impegnato a versarle periodicamente una cifra fissa affinché nostro figlio ricevesse la migliore educazione possibile...».

«Cinquemila franchi al mese?».

«Sì...».

«Con quale pretesto le chiedeva di recapitare quella somma in città diverse?».

«Non si fidava della mia forza di carattere...».

«Era questa l'espressione che usava?».

«Sì... Alla fine ho accettato di non vedere il bambino prima che avesse compiuto ventun anni...».

Lecœur sembrò chiedere a Maigret:

«Che facciamo?».

E Maigret abbassò due o tre volte le palpebre, stringendo più forte tra i denti il cannello della pipa.

8

Lecœur, piano piano, era tornato a sedersi. Voltandosi verso l'uomo al quale aveva procurato così tante emozioni e i cui lineamenti apparivano adesso stravolti, gli disse a malincuore:

«Sto per ferirla ancora, signor Pélardeau...».

Lui sorrise amaramente, come a dire: «Peggio di così... Cos'altro può esserci ancora?».

«Lei è un uomo che mi ispira molta simpatia, e anche rispetto... Le assicuro che la mia non è una commedia per ottenere chissà quali confessioni, di cui d'altronde non abbiamo bisogno... Quel che le devo dire, così come ciò che le ho detto finora, è la pura verità, e mi rincresce che sia così cruda...».

Una pausa, per dare all'interlocutore il tempo di prepararsi.

«Lei non ha mai avuto un figlio da Hélène Lange...».

Lecœur si aspettava una protesta veemente, o addirittura una reazione violenta. Invece si trovò di fronte una persona distrutta, incapace di reagire, che non disse neanche una parola.

«Non l'ha mai sospettato?».

Pélardeau alzò la testa, fece segno di no e indicò la gola, per far capire che non poteva parlare subito. Ebbe appena il tempo di prendere il fazzoletto dalla tasca prima di essere travolto da una crisi d'asma più forte della precedente.

Nel silenzio della stanza, Maigret si rese conto che fuori i tuoni erano cessati e la pioggia non rimbalzava più sul selciato.

«Le chiedo scusa...».

«Le sarà capitato di sospettare qualcosa, vero?».

«Una volta... Una sola...».

«Quando...».

«Qui... La sera in cui...».

«Quanti giorni prima l'aveva incontrata?».

«Due...».

«L'ha seguita?».

«Da lontano... Per scoprire dove abitava... Mi aspettavo di vederla con mio figlio, o magari di vedere proprio lui uscire di casa...».

«Lunedì sera si è presentato da Hélène mentre stava rincasando?...».

«No... Avevo visto uscire gli inquilini... Sapevo che lei in quel momento era nel parco a sentire il concerto... Le è sempre piaciuta la musica... Non ho avuto nessuna difficoltà ad aprire la porta... È bastata la chiave della mia camera...».

«Ha frugato nei cassetti?».

«Di primo acchito, ho notato che c'era solo un letto...».

«Le fotografie?».

«Solo sue... Di nessun altro... Cosa non avrei dato per trovare una foto del bambino...».

«E per trovare le lettere che scriveva alla madre...».

«Già... Mi sentivo davanti a un vuoto inspiegabile... Anche se Philippe era in collegio, doveva pur...».

«Quando Hélène è tornata, l'ha sorpresa lì?».

«Sì... L'ho supplicata di dirmi dove fosse nostro figlio... Mi ricordo di averle chiesto se fosse morto, se gli fosse capitata una disgrazia...».

«E lei si è rifiutata di rispondere?».

«Era più calma di me... Mi ha ricordato il nostro patto...».

«La promessa di restituirle il figlio quando avesse compiuto ventun anni?...».

«Sì... Io, per parte mia, avevo giurato di non tentare in nessun modo di entrare in contatto con lui...».

«Le dava sue notizie?».

«Molto dettagliate... I suoi primi dentini... Le malattie infantili... La balia che aveva assunto in un periodo in cui si sentiva debole... Poi la scuola... Mi raccontava della sua vita quasi giorno per giorno...».

«Senza fare nessun riferimento al luogo in cui si trovava?...».

«Nessuno... Negli ultimi tempi, a quanto pare, il ragazzo voleva diventare medico...».

Guardò il commissario senza falso pudore.

«Non è mai esistito?».

«Sì... Ma non era suo figlio...».

«Aveva un altro uomo?».

Lecœur fece segno di no con la testa.

«È stata Francine Lange a mettere al mondo un bambino a Mesnil-le-Mont... Prima che me lo dicesse lei, lo confesso, ignoravo che il bambino fosse stato registrato all'anagrafe come figlio di Hélène Lange... L'idea dev'essere venuta alle due sorelle quando Francine ha scoperto di essere incinta... Da quello che sappiamo, sulle prime ha pensato di abortire... Ma Hélène ha avuto fiuto...».

«Ci ho pensato, per un attimo... Gliel'ho detto... Quella sera, dopo le suppliche, sono passato alle minacce... Per quindici anni ho vissuto pensando a quel figlio che un giorno avrei conosciuto... Io e mia moglie non ne abbiamo mai avuti... Quando mi sono sentito padre... Ma a che scopo?...».

«L'ha presa per il collo?...».

«Per spaventarla, per farla parlare... Le ho gridato di dire la verità... Non pensavo alla sorella, temevo che fosse capitato qualcosa di grave al bambino, addirittura che fosse morto...».

Lasciò cadere le mani penzoloni, come se nel corpo non gli fosse rimasto neanche un briciolo di energia.

«Ho stretto troppo... Non me ne sono reso conto... Se solo il suo viso avesse espresso un'emozione qualsiasi!... E invece no!... Non aveva neanche paura...».

«Quando è venuto a sapere dai giornali che la sorella era a Vichy, ci ha sperato di nuovo?».

«Se il bambino era vivo, se Hélène era la sola a sapere dove si trovava, non c'era più nessuno a occuparsi di lui... Mi aspettavo di essere arrestato da un giorno all'altro... Avevate di sicuro rilevato le mie impronte digitali...».

«Senza confrontarle con le sue... In un modo o nell'altro avremmo finito per arrivare a lei...».

«Dovevo sapere, dovevo prendere dei provvedimenti...».

«Ha telefonato a diversi alberghi, seguendo l'ordine alfabetico...».

«Come lo sa?».

Era puerile, ma Lecœur aveva bisogno di togliersi una soddisfazione.

«Lei chiamava da diverse cabine telefoniche...».

«Allora ero stato individuato?...».

«Quasi...».

«Ma Philippe?».

«Il figlio di Francine Lange è stato messo a balia, poco dopo la nascita, presso i Berteaux, una famiglia di contadini di Saint-André-du-Lavion, nei Vosgi... Con i suoi soldi, le sorelle Lange hanno acquistato un salone di parrucchiere a La Rochelle... Nessuna delle due si è presa cura del bambino, che ha continuato a vivere in campagna fino a due anni e mezzo, quando è caduto in un lago...».

«È morto?».

«Sì... Ma per lei doveva continuare a vivere e, con il passare del tempo, Hélène si è inventata la sua infanzia, i suoi primi studi, i suoi giochi e infine, negli ultimi tempi, la sua passione per la medicina...».

«È mostruoso...».

«Già...».

«Che una donna sia capace di...».

Scosse il capo.

«Non metto in dubbio le sue parole... Ma una parte di me si ribella a una simile verità...».

«Non è la prima volta che un caso del genere compare negli annali criminali... Potrei citarle dei precedenti...».

«No...» supplicò Pélardeau.

Era chino su se stesso, senza forze, senza più nulla a cui aggrapparsi.

«Aveva ragione, poco fa, dicendo di non avere bisogno di un avvocato... Basterebbe che raccontasse la sua storia davanti ai giurati...».

L'altro rimase immobile, con la testa tra le mani.

«Sua moglie sarà preoccupata... A mio avviso, la verità le farà meno male di quello che potrebbe immaginare...».

Sembrava essersene totalmente dimenticato, e al solo pensiero sollevò il viso devastato.

«Che cosa le dirò?...».

«Purtroppo, ora come ora, non potrà dirle niente... Non ho il diritto di lasciarla in libertà, neanche per pochi secondi... Devo condurla a Clermont-Ferrand... A meno che il giudice istruttore non si opponga, cosa che mi sorprenderebbe, sua moglie sarà autorizzata a venirla a trovare...».

Al solo pensiero che la moglie avrebbe saputo, Pélardeau si turbò ancora di più e finì per guardare Maigret con un'espressione disperata.

«Non potrebbe incaricarsene lei?».

Maigret rivolse al collega un'occhiata interrogativa e Lecœur alzò le spalle come per dire che non era affar suo.

«Farò del mio meglio...».

«Dovrà usare ogni accorgimento, ormai sono anni che il suo cuore non regge più come una volta... Abbiamo una certa età, mia moglie e io...».

Ce l'aveva anche Maigret. Si sentiva vecchio, quella sera. Aveva fretta di ritrovare sua moglie, il tran tran quotidiano delle loro passeggiate per Vichy e le seggioline gialle del parco.

Scesero tutti e tre insieme.

«L'accompagno, capo?».

«Preferisco fare due passi...».

Il selciato luccicava. La macchina nera si allontanò verso Clermont-Ferrand con a bordo Lecœur e Pélardeau.

Maigret si accese la pipa e affondò meccanicamente le mani in tasca. Non faceva più freddo ma, grazie al temporale, c'erano diversi gradi in meno.

Dai due arbusti che fiancheggiavano l'Hôtel de la Bérézina scendeva ancora qualche goccia d'acqua.

«Eccoti, finalmente!...» sospirò la signora Maigret alzandosi dal letto per andargli incontro. «Ho sognato che eri al Quai des Orfèvres, alle prese con un interrogatorio interminabile durante il quale continuavi a farti portare su delle birre...».

Dopo averlo osservato un momento, aggiunse:

«È finita?».

«Sì...».

«Chi è?».

«Un uomo molto perbene, che dirige un'azienda con migliaia di impiegati e di operai, ma che è rimasto molto ingenuo...».

«Spero che domani ti sveglierai un po' più tardi».

«Ahimè, no... Devo andare a spiegare a sua moglie...».

«Lei è all'oscuro di tutto?».

«Sì».

«È qui?».

«All'Hôtel des Ambassadeurs...».

«E lui?».

«Entro mezzora gli si spalancheranno le porte della prigione di Clermont-Ferrand...».

Mentre si spogliava, lei non smise di osservarlo, trovandogli un'aria strana.

«Quanti anni credi che...».

E Maigret, caricandosi l'ultima pipa della giornata, dalla quale tirava solo qualche boccata prima di andare a letto:

«Spero che lo assolvano...».

Épalinges (Vaud), 11 settembre 1967

STAMPATO DA ELCOGRAF STABILIMENTO DI CLES

GLI ADELPHI

ULTIMI VOLUMI PUBBLICATI:

460. Sam Kean, *Il cucchiaino scomparso*
461. Jean Echenoz, *Correre*
462. Nancy Mitford, *L'amore in un clima freddo*
463. Milan Kundera, *La festa dell'insignificanza*
464. Pietro Citati, *Vita breve di Katherine Mansfield*
465. Carlo Emilio Gadda, *L'Adalgisa*
466. Georges Simenon, *La pipa di Maigret e altri racconti*
467. Fleur Jaeggy, *Proleterka*
468. Prosper Mérimée, *I falsi Demetrii*
469. Georges Simenon, *Hôtel del Ritorno alla Natura*
470. I.J. Singer, *La famiglia Karnowski*
471. Jorge Luis Borges, *Finzioni*
472. Georges Simenon, *Gli intrusi*
473. Andrea Alciato, *Il libro degli Emblemi*
474. Elias Canetti, *Massa e potere*
475. William Carlos Williams, *Nelle vene dell'America*
476. Georges Simenon, *Un Natale di Maigret*
477. Georges Simenon, *Tre camere a Manhattan*
478. Carlo Emilio Gadda, *Accoppiamenti giudiziosi*
479. Joseph Conrad, *Il caso*
480. W. Somerset Maugham, *Storie ciniche*
481. Alan Bennett, *Due storie sporche*
482. Alberto Arbasino, *Ritratti italiani*
483. Azar Nafisi, *Le cose che non ho detto*
484. Jules Renard, *Lo scroccone*
485. Georges Simenon, *Tre inchieste dell'ispettore G.7*
486. Pietro Citati, *L'armonia del mondo*
487. Curzio Malaparte, *La pelle*
488. Neil MacGregor, *La storia del mondo in 100 oggetti*
489. John Aubrey, *Vite brevi di uomini eminenti*
490. John Ruskin, *Gli elementi del disegno*
491. Aleksandr Zinov'ev, *Cime abissali*
492. Sant'Ignazio, *Il racconto del Pellegrino*
493. I.J. Singer, *Yoshe Kalb*
494. Irène Némirovsky, *I falò dell'autunno*
495. Oliver Sacks, *L'occhio della mente*
496. Walter Otto, *Gli dèi della Grecia*

497. Iosif Brodskij, *Fuga da Bisanzio*
498. Georges Simenon, *L'uomo nudo*
499. Anna Maria Ortese, *L'Iguana*
500. Roberto Calasso, *L'ardore*
501. Giorgio Manganelli, *Centuria*
502. Emmanuel Carrère, *Il Regno*
503. Shirley Jackson, *L'incubo di Hill House*
504. Georges Simenon, *Il piccolo libraio di Archangelsk*
505. Amos Tutuola, *La mia vita nel bosco degli spiriti*
506. Jorge Luis Borges, *L'artefice*
507. W. Somerset Maugham, *Lo scheletro nell'armadio*
508. Roberto Bolaño, *I detective selvaggi*
509. Georges Simenon, *Lo strangolatore di Moret*
510. Pietro Citati, *La morte della farfalla*
511. Sybille Bedford, *Il retaggio*
512. *I detti di Confucio*, a cura di Simon Leys
513. Sergio Solmi, *Meditazioni sullo Scorpione*

Le inchieste di Maigret

VOLUMI PUBBLICATI:

Pietr il Lettone
L'impiccato di Saint-Pholien
La ballerina del Gai-Moulin
Il defunto signor Gallet
Il porto delle nebbie
Il cane giallo
Il pazzo di Bergerac
Una testa in gioco
La balera da due soldi
Un delitto in Olanda
Il Crocevia delle Tre Vedove
Il caso Saint-Fiacre
La casa dei fiamminghi
Liberty Bar
Il cavallante della «Providence»
All'Insegna di Terranova
La chiusa n. 1
La casa del giudice
Maigret
I sotterranei del Majestic
L'ispettore Cadavre
Le vacanze di Maigret
Firmato Picpus
Il mio amico Maigret
Maigret a New York
Maigret e la vecchia signora
Cécile è morta
Il morto di Maigret
Maigret va dal coroner
Félicie
La prima inchiesta di Maigret
Maigret al Picratt's
Le memorie di Maigret
La furia di Maigret
Maigret e l'affittacamere
L'amica della signora Maigret
Maigret e la Stangona
Maigret, Lognon e i gangster
La rivoltella di Maigret
Maigret a scuola
Maigret si sbaglia
Maigret ha paura
Maigret e l'uomo della panchina
La trappola di Maigret
Maigret e il ministro
Maigret e la giovane morta
Maigret prende un granchio
Maigret e il corpo senza testa
Maigret si diverte
Gli scrupoli di Maigret
Maigret e i testimoni recalcitranti
Maigret in Corte d'Assise
Maigret e il ladro indolente
Maigret si confida
Maigret si mette in viaggio
Maigret e il cliente del sabato
Maigret e le persone perbene
Maigret e i vecchi signori
Maigret perde le staffe
Maigret e il barbone
Maigret si difende
La pazienza di Maigret
Maigret e il fantasma
Il ladro di Maigret
Maigret e il caso Nahour
Maigret è prudente
Maigret e il produttore di vino
L'amico d'infanzia di Maigret
Maigret e l'uomo solitario
Maigret e l'omicida di rue Popincourt
La pazza di Maigret
Maigret e l'informatore
Maigret e il signor Charles
Rue Pigalle
La Locanda degli Annegati
Assassinio all'Étoile du Nord
Minacce di morte
La pipa di Maigret
Un Natale di Maigret

GLI ADELPHI
Periodico mensile: N. 376/2010
Registr. Trib. di Milano N. 284 del 17.4.1989
Direttore responsabile: Roberto Calasso